Guy Môquet
Une enfance fusillée

Pierre-Louis Basse

Guy Môquet
Une enfance fusillée

Stock

À Pierre Gaudin, mon grand-père,
Esther et Yves Garçon, mes parents,
Lou, Sarah et Carole.

«L'enfance est terriblement sérieuse, ne l'oubliez pas. Un enfant engage tout son être. Et nous, hommes graves et mûrs? À quoi sommes-nous prêts à engager tout notre être? Nous tenons trop à notre chère carcasse. On l'a bien vu, quand ces bourgeois galonnés abandonnaient leurs troupes battues, et sillonnaient la France dans la 15 CV où ils avaient empilé leur famille et leur coffre-fort...»

VERCORS,
Le Silence de la mer.

Je crois qu'il doit être un peu plus de treize heures, le 22 octobre 1941.

Tous les otages sont désormais réunis dans une seule baraque, la 6. Ils sont vingt-sept. De l'autre côté des fils barbelés qui séparent le camp des hommes de celui des femmes – on disait la palissade –, quelques filles s'efforcent de mettre le nez à la fenêtre. Plus question de sortir. Un fusil-mitrailleur est maintenant braqué sur le camp.

Les visages des filles s'écrasent contre la cloison. Odette, Paulette, Andrée, Marie ont l'atroce impression de découvrir que l'éternité flirte avec une poignée de minutes, de secondes. Elles n'y croient pas. Jamais elles ne s'y habitueront. Ce sont des femmes de combat. Depuis longtemps déjà, elles partagent la paye de leurs hommes. Prises dans les grandes rafles politiques d'avril 1941, puis emprisonnées à la Petite Roquette, près de la Bastille, elles ont

11

rejoint Châteaubriant au cours de l'été. Elles se racontaient aussi leurs bals-musettes de la porte de la Chapelle, les beaux gars de la rue de Lappe ou de Ménilmontant. On dansait, rue Balagny, à deux pas de la place de Clichy.

Ces femmes parlent à voix basse, le soir, sur leurs paillasses du camp de Châteaubriant.

Maintenant, elles n'en reviennent pas de tant de chagrin. Elles ont vingt ans.

Se poussent, je crois bien, du coude et des épaules, comme l'enfant qui fait des pointes pour mieux voir le dernier feu d'artifice. L'une d'elles atteint même une lucarne, en grimpant sur le tambour de la porte qui bloque l'entrée de la baraque. Voilà Guy, et Timbaud, Poulmarch, Auffret, Barthélémy... Puis le Dr Ténine, et Charles Michels... et plus loin, c'est Grandel, maire de Gennevilliers.

Le sous-lieutenant Touya les a appelés, tous, les uns après les autres, baraque après baraque. Sa voix se fait haute quand il appelle un otage. Un sourire, léger, au bord des lèvres rassure l'officier allemand qui l'accompagne : le sous-lieutenant fera beaucoup plus que son devoir.

Touya, ce jour de plein soleil du 22 octobre 1941, c'est la France marquée à la culotte par une centaine de soldats qui prennent position au centre du camp. Un soleil comme jamais frappe le pays noir de la Bretagne. Une journée à confondre, enfant, les ajoncs et les genêts qui bordent les chemins.

Tous ensemble dans la baraque 6.

La veille au soir, je sais bien, Guy, que tu as joué fort tard de l'harmonica. L'extinction des feux avait été avancée à vingt et une heures mais cela ne t'a pas empêché de jouer, doucement, sans rien savoir de ce qui se préparait. Seule l'inquiétude t'empêchait de trouver le sommeil.

Le 22 octobre est un jour de marché à Châteaubriant. Tout à l'heure, dans le centre-ville, quelques portes s'ouvriront au passage des trois camions bâchés, des mouchoirs s'agiteront, comme des adieux timides, des femmes se signeront et les enfants qui jouent au foot dans les champs, route de Soudan, disparaîtront au passage du convoi.

Il y aura aussi des *Marseillaise* à pleins poumons, et même des «Vive la France!» crevant la toile du camion, sifflant jusqu'à Soudan, Pouancé et Renazé.

Guy, je voudrais savoir ce que tu as bien pu penser et dire à tes copains de fin de vie, là, quand vous avez compris qu'il n'y aurait que neuf poteaux de bois dans la sablière, face au peloton de quatre-vingt-dix soldats, appelés en renfort d'Angers. Neuf poteaux, cela veut dire que les dix-huit autres attendront la mort en observant celle des copains. Tu as été l'avant-dernier à mourir. L'avant-dernière cible de la carrière. Je sais bien que tous les fusillés de Châteaubriant, comme ceux de Nantes ou les cinquante du camp de Souge, près de Bordeaux, tous les martyrs du Mont-Valérien, tous les Péri, Sampaix, d'Estienne d'Orves, et tous ces gosses décapités dans les caves de la Santé, avaient la patrie au cœur.

Je connais les derniers mots de cet universitaire d'origine vietnamienne, Huynh Khuong An, fusillé avec toi, s'adressant à sa compagne, quelques minutes avant de monter dans les camions : «Nous sommes enfermés provisoirement dans une baraque non habitée, une vingtaine de camarades, prêts à mourir avec courage et avec dignité [...]. Tu n'auras pas honte de moi. Il te faudra beaucoup de courage pour vivre, plus qu'il ne m'en faut pour mourir [...].»

Et je me souviens de la dernière gouaille du député parisien du XVe arrondissement, Charles Michels, élu en 1936, et qui prend le parti d'en rire encore avant la première salve : «Embrasse bien mes frères, ce vieux Jean-Jean, Étienne; si on te renvoie mes affaires, il y aura un peu de tabac pour eux; par le temps de crise, c'est toujours ça de pris, il faut bien rire un peu [...].»

Mais toi, Guy, la mort à dix-sept ans, là, dans vingt minutes, une heure peut-être, alors qu'hier encore tu crânais un peu, cigarette au bec avec les copains Roger et Rino...

Lequel d'entre tous ces condamnés aura-t-il eu la force de t'aider à mourir, la force d'affronter, non pas les balles, mais tout ce qui précède : les derniers mots à l'abbé ou ce sous-préfet de la Loire-Inférieure, Lecornu, qui te demande de mourir dignement, et le mauvais papier qu'on te donne pour écrire quelques dernières pensées à ta famille, à ton petit frère Serge...

Je me rappelle que lorsque j'étais enfant puis adolescent, à la fin de l'été, mes parents ne manquaient jamais de stationner la 404 sur le bas-côté de la nationale en direction de Paris, juste à la sortie de Châteaubriant. C'est une route qui a peu changé au fil des ans, avec de grandes prairies qui font éclater le bocage. J'apercevais en contrebas, au loin, le marbre des martyrs érigé à la Libération par le sculpteur Rohal.

Souvent, avec les premiers jours de septembre, c'était la pluie qui balayait notre visite familiale. Tout cela me semblait bien mystérieux, presque fastidieux, que de devoir substituer à mes souvenirs de jardins d'été, cueillette des mûres, exploits du Tour de France que je suivais avec fébrilité dans la maison de ma grand-mère à Treffieux, ce souvenir de soldats sans armes que l'histoire ne parvenait pas à me rendre vraiment familiers. Et pourquoi cette soudaine gravité sur le visage de ma mère lorsque, à Nantes, nous devions emprunter le cours des Cinquante-

Otages…? Parfois même, je m'insurgeais contre la volonté de mes parents de vouloir, à tout prix, me faire partager une douleur qui n'était pas mienne.

Un visage, pourtant, me bouleversait : ce visage pâle, rieur, des boucles en bataille sur un front large, Guy Môquet. Je lisais sa dernière lettre. J'emportais avec moi le mystère d'un adolescent contraint de nommer la mort, de la vivre en quelque sorte, avant de tomber sous les balles. Ignorant encore ce qu'avait été sa vie, d'octobre 1940 à cette fusillade de la sablière, j'imaginais un collégien que des SS étaient venus chercher en classe. Un enfant perdu que le sort avait désigné à ses bourreaux. Avec le temps bien sûr, et les lectures, je compris que d'autres visages pâles, d'autres gavroches, tant d'autres jeunes types qui ne demandaient qu'à vivre, avaient osé le courage jusqu'à en mourir. Communistes, chrétiens, gaullistes de la première heure, juifs, travailleurs ou jeunes intellectuels, ils avaient, dès novembre 1940, défié l'occupant, résisté en pleine lumière, avant de s'organiser dans l'ombre.

Je pense à l'étudiant en lettres, Claude Lalet, fusillé, lui aussi, à Châteaubriant, et qui avait eu sa part belle dans l'organisation du défilé du 11 novembre sur les Champs-Élysées. Je pense à cette nuit du 19 août 1941, dans les bois du Plessis-Robinson, où Henri Gautheron et Samuel

Tyszelman, condamnés à mort pour leur partici-
pation à la manifestation du 13 août, sont
attachés à un arbre et assassinés par les nazis. Je
pense à Danielle Casanova, qui n'est pas revenue
de Ravensbrück.

C'est en 1970 que j'appris le rôle qu'avait tenu
Esther, ma mère, alors jeune résistante à Nantes :
elle était parvenue, avec la complicité de mon
grand-père, emprisonné dans le camp de
Châteaubriant, et le soutien d'un dentiste à récupérer clandestinement les toutes dernières
phrases écrites par les otages sur les cloisons de
la baraque 6, dernière étape avant leur
exécution.

Plus tard, la découverte des crimes de Staline
et la lumière faite sur le système concentra-
tionnaire du régime communiste ne manque-
raient pas de jeter une ombre sur les derniers cris
des fusillés de Châteaubriant. Curieux. Pourtant,
ils avaient bien crié «Vive la France!» avant de
mourir. L'histoire ne manque pas de culot.
Quelques salauds, qui avaient dressé les listes
des otages en étroite collaboration avec les
autorités allemandes, étaient morts dans leurs lits.
Le sous-lieutenant Touya avait, lui, repris du
service aux colonies. Il serait bientôt décoré. À la
fin de sa vie, pris de remords, le sous-préfet
Le Cornu s'efforça bien de trouver quelques
explications à la désignation des «vingt-sept»,
mais les écrits restent : «Je fais observer à

l'officier représentant le Kreiskommandant que les autorités françaises désirent que l'on tienne compte, pour le choix des otages, du dossier des internés, et que l'on retienne de préférence les plus dangereux et les moins chargés de famille [...]» (26 octobre 1941).

Les années passèrent. Curieusement, mes études m'avaient rapproché de la place de Clichy. Comme cela était étrange d'observer, au début des années quatre-vingt, le retour en fanfare de la littérature collaborationniste. Mon professeur de khâgne insistait pour que je lise en profondeur l'œuvre de Brasillach. *Le Monde* s'épanchait sur le «nazisme en tweed» de Drieu La Rochelle. De nombreuses biographies suivaient le mouvement : Grover, Desanti... Que l'on me pardonne cet écart : à la lecture de Drieu, de son *Gilles* ou de *Récit secret*, je découvris, en effet, une écriture aussi sensuelle que désespérée. Mais j'aperçus en même temps, tapi entre les lignes, un homme aux yeux délavés, dandy de grand chemin, faisant la conversation avec quelques dignitaires nazis, dans l'un des salons de *Chez Maxim's*. Mon plaisir fut gâché. Surtout, la jeunesse fracassée de Guy Môquet, son allure presque rimbaldienne de gamin des Batignolles qui écrit des poèmes à son père, emprisonné en Algérie, les palissades du XVIIIe arrondissement taguées, nuits d'été de

1940 à grands coups de coaltar pour dire «À bas Hitler», son amour du sport, et, aussi, cette dernière pensée écrite à même les planches de la baraque 6 : «Vous qui restez, soyez dignes de nous, les vingt-sept qui allons mourir!», finirent par m'imposer le silence.

Sommes-nous dignes aujourd'hui, des fusillés de Châteaubriant? Nos enfants emprunteront-ils à leur tour le chemin qui conduit à la carrière des suppliciés du 22 octobre 1941, simplement par devoir de mémoire? Combien de temps encore, irons-nous marcher sur ce sentier que le sang des fusillés avait maculé?

Je n'ai pas la réponse. Mais d'un siècle à l'autre, sera-t-il possible de conserver quelques cailloux du passé, afin peut-être de mieux baliser la route qui s'ouvre devant nous? Les derniers témoins du camp de Châteaubriant s'effacent. Les copains des virées clandestines de Guy Môquet, dans le quartier des Épinettes, les «frangins de tango» des cafés parisiens disparaissent, douce-ment, dans ces anciennes banlieues rouges qu'ils n'ont jamais voulu quitter : Drancy, Bagnolet, Choisy-le-Roi, Stains... Aux copains de Guy Môquet, il reste quelques photos, et les yeux qui pleurent, comme si tout cela s'était passé hier.

Déjà, j'ai atteint l'âge qu'avait mon grand-père, lorsqu'il revint de déportation. Évadé de Châteaubriant, repris, envoyé à Dachau et à Mauthausen. Toutes ses années de silence.

19

Enfant, je m'étonnais de ce numéro bleu tatoué sur son avant-bras gauche. J'étais triste et un peu bête de ne pas mesurer ce bonheur qu'il me racontait, lorsque, à son retour des camps, il avait pu s'installer dans une petite maison du centre de Nantes, s'enivrant de l'odeur des pommes.

Oui, osait-il parfois, le dimanche à la fin du déjeuner, lâchant son cigarillo, il y avait les appels dans la neige, à Dachau, toute la nuit. Il me racontait Châteaubriant. Je devais me souvenir que le jeune Guy Môquet était le plus rapide sur le tour de piste que les prisonniers avaient inventé sous la direction d'Auguste Delaune Qu'il avait écrit tout un tas d'alexandrins, le verbe facile et que, parfois, ça «frottait» un peu avec les métallos ou les plus anciens de la Grande Guerre. Avant de monter dans l'un des camions, un camarade l'avait pris à part, le soutenant comme un père soutient son enfant.

Sur la route de Fercé, à la sortie du camp, un instant, une voix avait crié : «Maman», très vite recouverte par les chants des fusillés et des détenus sortis brutalement de leurs baraques.

Ma mère est morte le 6 mai 1989. Les planches sur lesquelles les otages ont écrit un dernier message sont à Montreuil, au musée national de l'Histoire vivante. Depuis sa mort, il m'est arrivé de relire les notes qu'elle avait écrites à propos de ce voyage effectué pour récupérer les planches des otages. Quelques jours après la fusillade, elle avait pris le train à Nantes pour Châteaubriant. Très vite, au domicile de ce dentiste qui était parvenu à faire sortir en cachette ces morceaux de bois, Esther était repartie, munie de ce lourd et précieux colis. Elle racontait simplement qu'elle avait pris son premier repas en gare de Châteaubriant, seule et fière d'avoir réussi sa mission. Les corps de Guy Môquet et de ses camarades étaient encore entassés pêle-mêle, dans l'une des salles du château occupé par des SS, que cette jeune collégienne nantaise tenait déjà contre elle leurs derniers messages d'amour. Elle avait reçu des consignes très strictes en cas de fouille dans le train. «Ces hommes étaient morts, ils avaient tout donné. Il fallait, disait-elle, que le monde et la jeunesse sachent ce qu'avaient été leur combat, leurs amours, et pourquoi ils étaient morts.»

Sur une photo enfin, prise le jour de la première commémoration officielle dans la carrière des fusillés, j'observe le regard de ma mère. Elle est au garde-à-vous sous les drapeaux : dans ce regard de défi face à l'objectif du photographe, il me semble apercevoir, en arrière-plan, l'une des dernières phrases du jeune Guy Môquet : «Dix-sept ans et demi, ma vie a été courte! Je n'ai aucun regret, si ce n'est de vous quitter tous [...].» Il y a aussi cette lettre d'amour, envoyée à une jeune fille du camp : «Ce que je regrette le plus, c'est de ne pas avoir obtenu ce

21

que tu m'avais promis [...]», confiait-il à Odette, quelques instants avant de mourir. Guy avait donné ces petits mots d'amour à un garde mobile du camp. À la dérobée, en secret, le gendarme avait eu la gentillesse de les remettre à Odette. C'est tout cela que j'aperçois. Comme les lumières qui défilent derrière la fenêtre du train de nuit, et qui ne cessent de grandir à mesure que nous touchons au but de notre voyage : l'histoire simple d'un gamin de Paris déboulant dans les cinés de la place de Clichy, les pièces de théâtre jouées entre copains dans les usines en grève, le foot sur les terrains vagues de la Chapelle, les premiers baisers dans la cour du lycée Carnot, puis la prison, Fresnes, Clairvaux, Châteaubriant. Et la mort, le jeune homme évanoui, avant la dernière salve. Cette histoire, qui faisait dire à René Char, entre deux maquis, que c'est bien la «jeunesse qui tient la bêche. Ah qu'on ne l'en dessaisisse pas!»

Avec la drôle de guerre, puis la capitulation et l'arrivée des troupes allemandes à Paris, le 13 juin 1940, la jeunesse ouvrière des XVIIe et XVIIIe arrondissements ne tardera pas à jouer au chat et à la souris avec les autorités françaises ou d'occupation. Au pied de la butte, on a quinze ans. On s'enferme, la nuit, dans le square Saint-Pierre, filles et garçons mêlés. Le lendemain, rue des Abbesses, les marchandes de quatre-saisons commentent sous le manteau, les inscriptions qui recouvrent le fond du bassin du square. Les lettres sont rouges «À bas l'occupant. Vive l'URSS! Vive la France!» Bien fait. Ils ont fait la nique aux Allemands qui nous prennent tout...

Guy faisait partie de la bande, mais côté XVIIᵉ.

Dans ces ruelles qui partent des Batignolles et s'enfoncent en pente douce vers les anciennes fortifications de Clichy, aujourd'hui disparues, tous les gosses ont fait la java dans ce village des Épinettes. C'est un pavé modeste, bordé le plus souvent par des façades en brique, mais dont l'étroitesse des rues en rajoute dans l'idée d'une folle escapade. L'aventure était certainement nichée quelque part, du côté de la rue des Moines, du boulevard Bessières, la Jonquière un peu triste, et, plus au nord, l'amorce de la rue Baron, que la seule présence de la tour Eiffel au loin suffit à délester de son dénuement. La tour Eiffel...

Plusieurs fois, j'ai voulu voir ce que les yeux de la mère de Guy Môquet pouvaient encore aimer, dès lors que son fils fut arrêté par la police française, après le père, déporté en Algérie, au bagne de Maison-Carrée. Je m'approche. Hormis un bâtiment construit dans les années soixante-dix et dont la devanture hésite entre une annexe de la Sécurité sociale et un «phone-house», sorte de lierre des villes du temps présent, rien n'a vraiment changé. Je vois ce qu'ils voyaient, au

23

troisième étage de cet immeuble façonné dans la brique, en 1911.

Tous les enfants ont été convaincus, ne serait-ce qu'un matin, cartable bourré sur le dos, de pouvoir décrocher la tour Eiffel; et il me semble que cet horizon de carte postale sans prétention avait dû plaire à Juliette Môquet. Voilà bien une rue qui se contentait de flirter avec les «fortifs» de Clichy, ses terrains vagues. Seulement un flirt, car la rue Baron parvenait, avec de petits moyens, à enserrer dans ses trente-six numéros pairs le charme d'une certaine forme de vie provinciale. Pas peu fier, le «fils Môquet», de pouvoir étudier au lycée Carnot, après en avoir été «viré», en 1933.

Carnot, c'est l'institution intellectuelle et, surtout, pédagogique du XVIIe, façon Troisième République. Ici, on est à la laïque, avec tout ce que cela suppose de mélange parfois surprenant. Que les pantalons de golf un peu bouffants viennent de la rue Tocqueville, des Batignolles ou de la rue Legendre, plus à l'est, peu importe : on apprend à se souvenir de la République et de ses maîtres. Finalement, une école qui a du coffre et un peu d'âme, ce doit être un peu comme cette cour d'honneur du 147, boulevard Malesherbes, le silence de l'étude qui fait tourner la tête, on dirait la fraîcheur d'un cloître, et tout autour, ces élèves qui ne se connaissent même pas mais dont le parcours exemplaire leur donne

24

le pouvoir de se donner la main à travers les années : Eiffel, Aragon, Buffet, le philosophe Gilles Deleuze...

Très vite, je crois que le regard clair de Guy Môquet s'est efforcé de chasser les idées noires en dévalant la pente de l'avenue de Clichy, plutôt qu'en se colletant à ses versions latines. Carnot d'accord, cela avait été la fierté de relever la tête, de dire à son père, non, pas Condorcet, plutôt crever, je veux revenir dans cet endroit où les bourgeois s'imaginent chez eux, pendant que les fils de cheminot ou de plombier grattent à la porte.

Et Guy est revenu. En 1936, pour sa 6ᵉ. Peut-être les seules véritables années de printemps pour la famille Môquet : sur les bulletins de notes trimestriels de l'élève, dans la case réservée à la profession des parents, il n'y en a qu'une : député. Et surtout, le lycée Carnot, avec sa frontière intangible entre les riches de l'Étoile, qui rentrent le soir dans leurs appartements tranquilles de Monceau ou Foch, et les gouailleurs des Batignolles, offre à Guy une formidable couverture sociale. Le titi n'a pas fini d'en jouer. Jusqu'au bout, jusqu'à cette voix venue de Londres, à la radio, qui dira à ses copains du préau, que c'était bien lui, ce jeune type si culotté devant les maîtres, le joli cœur des «fortifs», qui venait de se faire trouer la peau à Châteaubriant, Loire-Atlantique...

25

Carnot le jour – disons, plutôt, de temps en temps –, mais, le soir venu, la nuit même, Guy jette l'ancre dans une mer beaucoup plus démontée, mais qui a le mérite d'être la sienne. Pas d'adieu à la sortie du lycée, chacun chez soi, et le jeune homme peut prendre le «31», à deux pas du boulevard Malesherbes. L'autobus le déposera tout près de la maison. Vingt minutes de trajet. On s'est encore bagarré dans la cour. C'est ce petit salopard de Blouin, avec ses sbires, qui a traité Cohen de sale juif. Si jamais il recommence, on finira par lui casser le bras. Il sera bien embêté pour jouer au golf...

La mer démontée en effet, dès le mois de septembre 1939, avec l'arrestation du député Môquet que la police française va chercher en Normandie où il avait trouvé refuge. Retour à Paris, et confidence du jeune Guy à sa mère : «Ils ont arrêté Papa. Bon. C'est à moi de prendre la relève...»

Il a quinze ans. La gouaille, Guy la déroule aussi dans la zone de la porte de Saint-Ouen, où vivent, entassés dans des baraques en bois, plusieurs centaines de familles d'immigrés espagnols qui ont fui le régime de Franco, beaucoup d'Italiens aussi. L'air y est pur le soir, et l'on entend la guitare de Django Reinhardt. On perce des meurtrières dans les murs de l'Alcazar. Chaque jour, des hommes meurent dans les ruines de Tolède. Un jeune gars de Villeneuve-le-Roi, Pierre Georges, avant de devenir le colonel Fabien, a maquillé son âge, dix-sept ans, pour rejoindre plus vite les Brigades internationales. Le matin, avant de filer à Carnot, «le fils Môquet» regarde ces convois d'hommes partir vers les Asturies. Sur le pont qui enjambe la gare des Batignolles, Guy n'a pu s'empêcher de chanter avec eux.

À cette époque, sous le préau du lycée, les castagnes entre élèves avaient de l'allure. L'amitié ne traçait pas une ligne de démarcation entre la droite et la gauche, plutôt entre les républicains et les fascistes. Et à la fin d'un laborieux cours de grec, Guy avait été heureux de pouvoir inviter à l'Exposition universelle de l'été 1937 au Champ-de-Mars ses deux meilleurs copains, Pierre Cohen et Maurice Chalon, deux juifs de l'Étoile, fils de commerçants aisés, la cravate impeccable sous le gilet, les cheveux bien plaqués sur le côté, mais pas bégueules...

– Tiens, Pierre, t'en donneras une à Maurice. C'est mon père qui régale.

Décidément, il y avait une belle amitié entre ces deux fils de bourgeois et le gamin des Épinettes. Guy était un gros malin. À Carnot, il abandonnait, chaque matin, son habit de fils de cheminot, trop soucieux de pouvoir mener à l'extérieur des activités qui ne tarderaient plus à devenir clandestines et périlleuses. Faisant marrer tout le monde, embrassant les filles dans les coins, le «fils du député» se comportait avec le lycée comme on fait avec un édredon : repos et détente. Surtout, il y a le sport, la course et le football qui ne parviendront jamais à séparer ce petit groupe. À Carnot, en 1938, pas de piste d'athlétisme. Les sprints se font dans la cour; à toute vitesse. Guy, mince et agile, fait le spectacle avec Charles Éboué. Ce sont eux les rois du 100 mètres. Insatiables. Les autres se contentent de regarder, d'applaudir, d'encourager. Guy est le plus vif, Charles le plus véloce. Ils ont treize ans. À vingt ans, ils iraient à coup sûr sous les 11 secondes. Plus tard, Félix Éboué, premier gouverneur à avoir rejoint le général de Gaulle, se souviendrait que son fils bataillait dur sur le bitume avec un coureur aux yeux clairs.

Pierre Cohen n'avait pas oublié le billet que lui avait donné Guy pour l'Exposition universelle, et pas davantage ce trajet en taxi – un G7 –, qui les avait conduits tous les trois jusqu'au Champ-de-Mars. Ils avaient bien rigolé, comprenant à quel point Guy était un compagnon de la rue, égaré sur le boulevard Malesherbes. Cohen avait peut-être le visage carré et la robustesse d'un type qui ne se pose pas de questions, n'empêche : il pressentait dans le sillage de ce gentil copain un peu canaille des drames que l'actualité n'avait plus la force de cacher. Et quand cette teigne de Dubuisson, avec son complet blanc et sa cravate en soie, l'avait coincé dans les toilettes, Guy s'était précipité, renvoyant le jeune antisémite à grands coups de cartable! Dans les cours de récréation, c'étaient beaucoup plus que de belles amitiés ou des haines tenaces qui naissaient entre les élèves. C'était la vie présente et future, rassemblée dans une volonté commune, un même choix. La vie de demain, quand on se retrouverait pour évoquer les souvenirs. La chaise d'un copain, vide. Ce qui pouvait se dire de dégoûtant aussi dans le silence des familles, arrivait toujours par frapper à la porte du collège.

Benjamin avait posé son cartable dans la classe de 4e A, pendant l'hiver 1938. Ses parents étaient professeurs. Chaque matin, il sortait consciencieusement ses petites affaires, distribuant le reste de ses copies à tous les copains qui en manquaient. Quelques mois lui avaient suffi pour plaisanter en français. L'enfant avait aperçu, dans les rues de Berlin, des hommes en noir qui brûlaient des livres. À croire que ce spectacle l'avait rendu boulimique à l'égard du savoir : Benjamin collectionnait les prix d'excellence en versions grecque et latine. Un corps fragile aussi, distrait par les études, et la langue bien pendue. À deux tables derrière lui, Blouin, le plus fort pour ravaler sa haine en cas de besoin, lui avait demandé une copie. Là, Benjamin avait dit non. La réponse avait fusé dans la direction du jeune barbare. Fin 1940 à Paris, *Le Juif Süss* n'est pas encore projeté sur les écrans des grands boulevards, mais on commence à se laisser aller...

– Tu es un vrai juif, toi, lui dit Blouin. Un sale juif qui ne partage pas.

Benjamin pouvait baisser la tête. Ses amis n'allaient certainement pas lui en vouloir. Il préféra la relever, avec humour.

– Moi, un vrai juif? C'est gentil ça... Mais si je suis un vrai juif, alors pour la copie maintenant, chaque matin, ce sera dix centimes la feuille...

Je me rappelle brutalement ce que Thomas Mann écrivait, dès 1933, à propos du nazisme et de ses crimes : «On ne pense jamais que la barbarie peut être contemporaine de nos existences...» Voilà pourquoi, nous baissons la garde. C'est pure négligence...

Le lien qui unissait Pierre Cohen et Guy Môquet reposait donc sur l'esprit de générosité. C'étaient des enfants prêts à en découdre avec les salauds. Ils n'étaient pas fous. Comme tout le monde, ils avaient vu arriver dans leur classe de 4e, puis de 3e, ces juifs allemands dont les familles fuyaient le crime, les humiliations. Entre eux, ça n'avait jamais été une histoire de politique, seulement du bon sens partagé. La jeune République espagnole souffrait...? Allez, on s'en occupait; c'était pas le diable d'envoyer quelques affaires, un ou deux pantalons, des bricoles, histoire de montrer qu'on y pensait à ces types qui se faisaient canarder sur les fronts de Madrid. La plaine Monceau, ou le mauvais XVIIe, franchement, ça ne pesait plus bien lourd dans la balance des sentiments. Bien sûr, à la maison, Guy avait entendu plus d'une fois son père et sa mère pester contre le gouvernement Blum qui avait refusé d'envoyer des armes aux républicains espagnols.

Mais, pour Guy Môquet et quelques-uns de ses copains à Carnot, la motivation venait de plus loin, peut-être de cette inquiétude qui vient du fond de toute jeunesse en éveil, de ce désordre un peu enivrant, capable aussi de créer les soldats les plus courageux. Pierre, Maurice, Guy étaient de cette trempe. La politique était une chose réservée aux grandes personnes. Pas les sentiments. Ces adolescents voyaient peut-être, dans une certaine confusion ou colère, ce que d'autres refusaient obstinément de voir, comme une antichambre des années noires...

Quelques mois avant son arrestation, Guy eut droit à l'une de ses plus belles distractions sportives. Un cadeau de Pierre Cohen qui n'avait pas oublié le billet d'entrée pour l'Exposition universelle. Ils iraient tous les deux rendre visite au gardien de but du Racing Club de Paris : Rudy Hiden. Il faut dire que, depuis les premiers jours d'octobre 1939, Guy a la tête ailleurs. Il songe à son père, déchu de ses droits civiques, interné à Valence, et qui ne va plus tarder à rejoindre le bagne de Maison-Carrée en Algérie ; Guy avait promis de rester fidèle à Prosper, de prendre la relève à la maison, auprès de Juliette. À défaut de pouvoir combiner de solides études avec les distributions de tracts sur le marché de la rue des Moines, au moins le jeune Môquet avait-il le sens du devoir auprès des siens. L'une de ses lettres, dira-t-on plus tard, poussera les autorités françaises à le maintenir au dépôt. Lassé de faire ses devoirs, Guy Môquet écrivait à son père. Ainsi un dimanche soir du 28 octobre 1939 : « Mon cher Papa emprisonné [...]. Malgré le travail abondant que j'ai, je ne sombre pas. Je travaille sans cesse. J'ai fait hier, 1 préparation de vieux français, 1 version latine, 1 grecque et aujourd'hui 2 latines et 2 grecques [...]. Je suis de cette manière en avance d'une semaine [...]. Tu vois que, comme je te l'ai promis, je travaille le plus possible [...]. »

Jusqu'au bout d'une vie qui avait juré d'être courte et violente, Guy, loin des pupitres du lycée Carnot, soignera toujours ses lettres. Impossible franchement de détecter dans cette intimité quelques signes cachés du Komintern. Jusqu'au bout en effet, jusqu'à cette baraque de Châteaubriant, le gouailleur aura toujours assez de discipline pour offrir ses fleurs bleues à ceux qu'il aime. Et quand la plupart de ses camarades, plus expérimentés dans le combat, imagineront des slogans révolutionnaires face au peloton d'exécution, c'est encore de famille et d'amour qu'il parlera avec le plus de fierté. Parfois même, l'épître ne lui fait pas peur :

«Je veux mon cher Papa, te faire savoir ici
Le juvénile amour que j'ai eu jusqu'ici
En celui à présent qui est bien enfermé
En toi mon doux Papa que j'ai toujours aimé.
Il sortira grandi de tous ces affreux jours
Et dans mon cœur d'enfant, il vivra pour
                                    [toujours.
Même mon jeune frère, pas encore éduqué,
Me demande pourquoi tu es là enfermé
Et pour quelles raisons tu es mis au secret
Et pour quelle infraction sans être un indiscret
T'as ton mis au régime appelé droit commun
Étant un honnête homme, et non pas un
                                    [vaurien.
Malgré cette injustice, je te souhaite mon père
Un moral excellent, une vie sans misère.
Tu restes un honnête homme et de grande
                                    [vertu.
Tu restes le serviteur de ceux qui t'ont élu […].»

Dans cette lettre que le député de Paris reçoit à Fresnes, cellule 40, il y a les promesses d'un fils, non tenues, quelques fautes d'orthographe, et une ou deux allitérations un peu forcées. On oubliera. J'ai toujours préféré retenir ce goût enfantin de l'extrême fidélité, ce que, beaucoup plus tard, l'un des professeurs de sciences naturelles du jeune homme à Carnot, Jean Roy, confiera à ses parents : «Je me demande, écrit le professeur, si, parmi les 4e A1, je ne vais pas, comme en 1938, entrevoir la figure vive et la taille mince de Guy [...]. Il avait été ardent et toujours en éveil [...]. Quoique peu conformiste, il savait son avenir scolaire assuré [...]. Puis-je évoquer son enthousiasme en travaux pratiques de sciences et sa bonne humeur contagieuse? [...].» Et plus loin encore : «Mais en 1939, ce petit bonhomme de quinze ans avait bien changé. Son père, député du XVIIe venait d'être arrêté. Guy restait chef de famille en miniature avec sa maman et son petit frère Serge. Ma dernière conversation avec lui date de cette époque et il m'avait confié sa volonté de rester fidèle à son père. Rester fidèle! Voici deux mots que vous pouvez méditer.»

Pour une fois que les deux copains avaient l'occasion de se retrouver en dehors de Carnot, ils n'allaient pas se gêner... Surtout pour aller voir une idole du foot, Rudy Hiden. Et Guy, dont la place préférée sur le terrain était justement celle de gardien de but! Ils étaient rares, les moments où il n'avait pas un cuir sous le bras... C'était tout de même un sacré veinard ce Cohen. À la maison, il recevait chaque semaine *Benjamin*, un journal qui racontait les meilleures histoires de Jean Nohain et offrait une montre en or pour le plus beau reportage. La course au trésor tombait à pic : chaque soir de printemps, devant le square Berthier, il passait, Rudy Hiden, aussi à l'aise dans son costume de flanelle, qu'à Colombes les jours de match.

– Je t'emmène, lui avait soufflé Pierre à l'oreille, sous le préau. Maurice s'en fiche pas mal, il préfère Racine…

Guy n'en revenait pas. Il avait si souvent fermé les yeux, rue Baron, écoutant le reportage de Radio-Paris, la voix folle et rocailleuse du radioreporter. Surtout, il n'avait pas oublié le voyage à moto, avec son père, pour aller voir la finale de coupe de France, l'été 36, remportée par le Racing Club de Paris. Colombes : c'est le cadeau de Prosper, après son élection à la Chambre, début mai. Il est fier, l'ancien cheminot des Batignolles, devenu député du «XVIIᵉ». Debout, à côté de son fiston, juste derrière le but du Racing. Autour d'eux, plusieurs milliers de spectateurs. Beaucoup d'ouvriers passionnés par ce club qui remporte la coupe et le championnat. Et puis pour Prosper Môquet, cette finale à Colombes, avec Guy, apparaît comme une fugue, au milieu des entreprises en grève, des métallos qui occupent les usines de la région parisienne. Juliette est bien embêtée : le Parti a encore décidé de reverser la moitié du salaire de Prosper, au syndicat, mais il serait bon tout de même de distraire un peu le petit.

— Tu vois, dit-il à Guy, pendant l'échauffement des joueurs, c'est bien beau tout ça, mais ce serait encore mieux si tout le monde pouvait faire du sport. Pas seulement tes idoles, mais tout le monde, tu m'entends…? Tu vas voir les stades qu'on va construire avec Léo Lagrange. Ce sera tout de même plus pratique que de cavaler sous un préau…

Franchement, Guy n'écoutait plus. Il fallait voir sa bouille scotchée à ce spectacle : un homme immense, tout en noir, cheveux blonds plaqués en arrière, de grands yeux clairs, attrapait les ballons avec une facilité étonnante. Tout en noir, sauf le col roulé, blanc. Question d'élégance. Rudy Hiden fascinait. Le président du Racing Club de Paris, Jean-Bernard Lévy, était allé le chercher à Vienne. Avec Jordan, Autrichien lui aussi, et l'Anglais Kennedy. Un sacré coup de tonnerre. En France, le professionnalisme était encore une histoire d'enfants de chœur. Rudy, lui, avait déjà compris pas mal de choses. Son visage pouvait rappeler celui d'Errol Flynn, avant la déchéance. Hiden était l'expression, dans les buts, de ce que ne serait plus jamais l'équipe nationale autrichienne, la célèbre Wunder team des années trente. Grâce et légèreté dans le jeu. Naturellement, Hiden n'encaissa aucun but à Colombes. Le Racing l'emporta 1-0 sur Charleville, et Guy promit à son père, au retour, qu'il serait à la hauteur pour son entrée en 6e, à Carnot.

Était-ce le même homme, vraiment, que les deux compagnons observaient maintenant, lové dans une robe de chambre en soie mauve? Rudy Hiden était un fêtard qui profitait de la vie, surtout la nuit. Mais il n'avait pas hésité un instant lorsque le jeune collégien l'avait sollicité pour une interview à domicile; il y avait une montre en or à gagner, un beau reportage à faire, et Pierre, dont les parents vendaient des diamants à de riches rentiers de l'avenue Foch, voulait être journaliste. Il fallait donc foncer. Guy était ébaubi de se retrouver ainsi, au côté de son roi presque nu, en robe de chambre, seul dans un petit appartement du VIIIe arrondissement. Et il y avait quelque chose d'étrange, dans ce trio improvisé sous le prétexte du sport : un enfant juif, un prolétaire et une vedette autrichienne qui venait tout juste d'obtenir la nationalité française. Les questions roulèrent lentement sous le feu du jeu : depuis combien de temps êtes-vous en France, monsieur Hiden...? Gagnez-vous beaucoup d'argent...? Votre pays ne vous manque-t-il pas...? Ferez-vous bientôt du cinéma...? On dit que toutes les filles sont amoureuses de vous...? Pierre Cohen posait toutes les questions. Guy, se contentait d'écouter et de regarder. Il y aurait à dire pour plus tard aux copains. Mais c'étaient des enfants. Et leur insouciance bien compréhensible les avaient empêchés d'apercevoir, au coin de l'œil bleu, vite, sous la mèche un peu folle, l'ombre d'une tristesse irréversible : celle d'un champion qui avait choisi d'être français pour ne pas avoir à affronter les chemises brunes de Vienne. Hiden aura même droit à une sélection en équipe de France... Peut-être la colère aussi d'un homme qui avait perdu un bon copain du temps de la Wunder team. Mathias Sindelar, meneur de jeu de l'équipe autrichienne, se tue au gaz en mars 38, dans une chambre de bonne à Vienne. Juif autrichien, Sindelar échappait à sa manière aux troupes allemandes. Hiden parvient à se dérober au bras tendu et à la croix gammée...

– Au revoir, leur avait lancé Rudy, en français.

Il avait répondu à toutes les questions du jeune reporter. La montre était gagnée d'avance... À Guy, il avait donné quelques conseils sur le meilleur placement à respecter sur sa ligne...

Longtemps, Guy demeure éveillé dans sa chambre. Serge, son frère, dort. Guy, entend à peine son souffle, dans la pièce. Au deuxième étage de l'appartement, toutes les respirations se répondent, s'annulent, s'encouragent. C'est le mystère de la nuit dans les familles. Guy tourne et retourne les images de ce grand type incroyable, qui les a reçus comme des copains, chez lui, en chaussons et robe de chambre, tout de même...! Il va leur montrer, dans l'équipe du collège, ce qu'est un grand gardien de but. Tiens, pas plus tard que demain, dans la cour. Bien sûr, il faut travailler dur, il faut être à la hauteur du père, il faut dormir, mais ce Rudy, quel champion... À la frontière du sommeil, au moment de sombrer comme un enfant sage, Guy réalise brusquement que cette visite lui a donné du courage pour affronter tout le reste ; la fatigue de Juliette, les questions de Serge, la détention de son père. Demain, il lui écrira. Et s'il le faut, il enverra une longue lettre au président de la Chambre, Édouard Herriot, qui fera bien quelque chose pour son père.

Ça n'était pas de la naïveté, Guy avait quinze ans. Il avait rejoint les pionniers, le groupe des Enfants de la paix, puis les jeunesses communistes. Bientôt, commenceraient les premières actions clandestines. Pour l'instant, il était encore possible de rêver. L'action politique, avec les copains de la rue Berzélius et des HBM (habitations bon marché) de la porte de Saint-Ouen, est inséparable des pique-niques à Ozoir, d'une copine qui se découvre sous le pont Cardinet ou de ce chemin qui passe de moins en moins par les boulevards Malesherbes et Carnot. Bien sûr, Guy avait surpris ses copains des beaux quartiers, dans ce taxi qui les conduisait vers l'Exposition universelle d'avril 1937 : il avait sorti de son portefeuille quelques préservatifs qui en disaient suffisamment sur sa vie amoureuse.

– Quoi, j'ai l'âge non ? avait lancé Guy en direction de Pierre et de Maurice Chalon.

Pierre, c'était plutôt le respect des diamantaires, dans une famille de courtiers. Quant à Maurice Chalon, son cœur battait davantage pour *Bérénice*, et les traductions de Sénèque.

Dès cette époque, s'amorce autre chose dans le comportement du jeune homme. Je crois que c'est en octobre 1939 qu'il fait le deuil de sa jeunesse. Guy ne se consacre plus guère à ses études au lycée Carnot. Il s'éloigne, à mesure que d'autres copains, d'autres destins, l'aident à remplacer son père. Son combat est simple, comme celui d'un enfant qui trouve assez naturel de grandir au milieu des siens. Le pacte germano-soviétique de septembre 1939 peut bien déclencher la colère et le désarroi d'un bon tiers des députés communistes, créer le doute, une certaine gêne aussi chez les militants. Guy s'en moque comme de sa première chemise. Il ne faudrait peut-être pas oublier qu'il les a votés, Prosper Môquet, les crédits militaires, et qu'en 1914, il ne s'est pas défilé… On doit lui rendre son père. Quel crime a-t-il commis pour qu'on le maintienne en prison…?

J'ai peur, soudain, de me retrouver face à cette date du 22 juin 1941 ; j'ai tellement provoqué ma mère, adolescent, lui répétant qu'il avait fallu que les troupes allemandes envahissent l'Union soviétique pour que les jeunes communistes se décident enfin à entrer dans la résistance. J'avais tort. Et je regrette ce coup de frime. L'histoire nous apprend bien autre chose : en banlieue, les jeunes des HLM et de toutes les cités populaires se mobilisent contre l'occupant.

À Saint-Denis, fief de Jacques Doriot, on colle des affichettes antinazies. Juillet 1940. En octobre, le Pr Paul Langevin est arrêté. Impossible d'oublier le travail de sape, effectué, dès le début du mois, par les jeunes du XVIIIᵉ...

Retrouvant dans une banlieue lointaine, l'un des copains de cavalcade de Guy, c'est la fidélité qui m'apparaît encore. Fidèle. La lettre écrite par l'ancien professeur du lycée Carnot, Jean Roy...

Henri Breux avait été de tous les coups. La musette en bandoulière et le vélo rapide pour balancer les tracts sur les marchés. Un père gazé en 1917 qui avait fini sa vie doucement, comme chauffeur, chez Lambion, place de l'Europe, une boîte spécialisée dans la plomberie et la couverture des toits en zinc. Henri avait dû se débrouiller. Une tante lui payait une petite chambre, rue Berzélius, tout près des anciennes fortifications de Clichy. La mère – ça peut arriver – préférait les amants à une vie de famille. L'enfant avait treize ans et faisait le garçon de garage, douze heures par jour.

– Henri, disait Guy. Demain, on se fait le *Métropole*, avec Jean et Georges. Faudra pas oublier la planchette et la ficelle pour envoyer les tracts, depuis l'orchestre...

Après, ils dévalaient la rue Championnet, se planquaient parfois derrière les bosquets du boulevard Ney. Dans leur façon d'agir, à quinze ans à peine, il y avait tant de fraîcheur.

Une belle insouciance aussi, tout au début, dans le respect des consignes. Ces jeunes prolétaires ne feront jamais la part belle à la peur : ils avaient rêvé de s'embarquer pour l'Espagne, en 1936. Trop jeunes. Ils se consolaient avec la rue, toutes les rues, le porte-à-porte et ces marchés qu'on traverse à vive allure, lâchant à la volée ces tracts qui crient. «À bas la misère!»

Pour Guy et ses camarades, la frontière avec la clandestinité s'effondre quelque part, entre l'automne 1939 et juin 1940. Ils ont beau faire confiance à l'Union soviétique, les toasts levés par Staline en l'honneur de Hitler leur restent en travers de la gorge. D'autres, plus âgés, n'accepteront pas le marchandage. Mais c'était se détourner d'une famille qui donnait un sens à leur vie. Ce pacte...? «Jamais de la vie, me dira Henri Breux. D'ailleurs, ils n'y croyaient pas vraiment. On se fâche, bien sûr, entre pionniers. Mais Guy intervient dans l'une des réunions : eh quoi, il est où mon père, hein...?»

Son père est en prison depuis le début du mois d'octobre 1939. Avec une quarantaine de députés

42

du groupe des «ouvriers et paysans». L'alliance Berlin-Moscou, le partage de la Pologne, puis l'invasion de la Finlande par l'Armée rouge, servirent sans doute de prétexte à Daladier pour accélérer la répression contre le PC. Mais, à la fin de l'hiver 1939, franchement, les communistes se refaisaient une santé essentiellement sur le dos du chômage. Je jette un œil sur un document que Guy et ses camarades distribuaient dans le XVIIe arrondissement, aux premiers jours de septembre 1940; on y dénonce mollement l'occupation étrangère. C'est surtout la misère qui est épinglée : «Des magnats d'industrie (Schneider, De Wendel, Michelin, Mercier...), tous, qu'ils soient juifs, catholiques, protestants ou francs-maçons, par esprit de lucre, pour conserver leurs privilèges, par haine de la classe ouvrière, ont trahi notre pays et l'ont contraint à subir l'occupation étrangère [...]. De l'ouvrier de la zone, avenue de Saint-Ouen, à l'employé du quartier de l'Étoile, en passant par le fonctionnaire des Batignolles... les jeunes, les vieux, les veuves, tous sont d'accord pour lutter contre la misère...»

Plus tard, l'oreille collée à ce poste de radio installé clandestinement dans la lingerie du camp de Châteaubriant, les prisonniers entendront la nouvelle : ce 22 juin 1941, l'Allemagne envahissait l'Union soviétique. Juin 1941 : Guy et vingt-six de ses copains n'ont plus que quelques mois à vivre. Depuis longtemps déjà, on ne doit pas rire, sur un trottoir, au passage d'un soldat allemand. Depuis longtemps, les étudiants ont eu le courage de manifester contre l'occupant. Dans le camp, franchement, l'événement du 22 juin 1941 passe presque inaperçu...

Comme il est en colère, Guy, ce soir de novembre 1939. Déjà qu'il ne va plus guère au collège, et voilà que la rumeur enfle, sous ses pas : Prosper Môquet aurait accepté de signer un texte de reniement; il est libre, d'ailleurs, on l'a aperçu dans le quartier. Guy est fou de rage. Au nom du père, cette fois, il s'engage définitivement aux côtés des jeunesses communistes du XVIIe arrondissement. Il en prend même assez rapidement la direction. Au loin, le lycée Carnot, le foot, les courses avec son copain, Charles Éboué. Bientôt, la police française lui reprochera cette lettre qu'il envoie à Édouard Herriot; sans doute, aurait-il été préférable de l'envoyer à Paul Reynaud... :

«Monsieur le Président [...]
Je suis l'un des enfants d'un de ces députés
Qui sont tous en prison aujourd'hui enfermés.
Je suis jeune Français, et j'aime ma patrie,
J'ai un cœur de Français, qui demande et
                                    [supplie
Qu'on lui rende son père, lui qui a combattu

Pour notre belle France avec tant de vertu.
Je veux dépeindre ici, la cruelle misère
Celle d'un cœur d'enfant qui est privé d'un
                                                    [père
C'est vers un bon papa que je me suis tourné
Et c'est, en l'occurrence, vous qui êtes nommé
Pour que tous les enfants puissent revoir leur
                                                    [père.
Et que ça soit bientôt la fin de leur misère.
J'espère que vous saurez comprendre ce
                                              [chagrin
Et que la liberté, pour eux, luira enfin.
J'agis avec mon cœur, que j'appelle français,
Agissez en bon père, agissez en Français [...]. »

La lettre demeura sans réponse. Mais Guy ne
cessera jamais d'écrire. À ce père qui lui manque,
ombre joyeuse et puissante, qui embarque le fils
vers le pire. C'est sans le vouloir, mais qu'y faire,
le destin foudroyé de la famille Môquet nous
ramène toujours au député dont, plus tard, les
épaules devront être solides : Guy fusillé, le
jeune frère, Serge, mourra de chagrin et de peur,
déguisé en fille par sa mère qui tente d'échapper
à la Gestapo. Après la guerre, Juliette se tuera
dans un accident de la route. Prosper conduisait
l'automobile. Mais Guy, buissonnier, n'écrit pas
seulement des lettres pour rassurer son père. Il
joue avec les mots. Pas besoin de les tordre. En
respectant l'alexandrin, Guy échappe à son statut

de chenapan, saluant d'un clin d'œil à distance, l'appréciation du professeur de français, version grecque et latine : «Le trimestre est encore insuffisant, écrit, fin 1939, le vieux sage de Carnot à propos de son élève, mais l'enfant, très doué, pourrait très bien faire, s'il était moins léger.» Quelques mois encore, et cette fois le bulletin est quasiment vierge d'appréciation... On relève simplement une «longue absence...». Léger, absent.

Soixante-deux ans ont passé depuis la dernière photographie de Guy, debout, au milieu de ses camarades de la 4e A1. Maurice Chalon et Pierre Cohen m'ont assez longuement commenté la photographie : les pull-overs du fils de prolétaire, sans cravate, avec pantalon, tandis que les gosses de riches portent la culotte de golf, cravate en soie, veston croisé. Au centre de la classe, Guy a le sourire moqueur de l'enfant qui sait bien que la vraie vie est ailleurs. Léger... Oui, comme une plume qui ne demande qu'à s'envoler au nez et à la barbe de l'institution scolaire. Sans la moindre méchanceté. Absent... La main posée sur l'épaule d'une jeune inconnue, Guy, quinze ans et demi, dans l'herbe de la porte de Saint-Ouen avec, à ses côtés, Henri et une autre fille souriante.

Ces derniers mois, je n'ai pu m'empêcher de poser sur mon bureau deux photos prises à un an d'intervalle. La photo de classe de Carnot et, a côté, le dernier cliché de Guy. Il pose devant sa baraque du camp de Châteaubriant. La 10, celle des jeunes. La photo a été prise une semaine avant la fin. On y reconnaît ses deux meilleurs copains, Roger Sémat et Rino Scolari, futur adjoint du colonel Rol-Tanguy. Ces deux gars seront épargnés. Il y a aussi Jean-Pierre Timbaud, responsable du syndicat CGT des métallos parisiens, pipe à la bouche, exécuté lui aussi. Faut-il que Guy devine la mort, pour que son visage soit devenu si musclé, grave, presque vieux désormais? Plus vieux que nous, c'est ce que nous pensons, parfois, pour nos héros préférés. Cette fois, les choses sont sérieuses. Il y a des fils de fer barbelés derrière les quatre hommes. Le jeune Môquet pince sa cigarette avec l'index, mais ne sourit plus, comme il le faisait à Carnot. C'est ce regard d'enfant perdu, je crois, qui m'obsède dans cette histoire. Un lien avec des événements destinés à l'oubli. En cela, je reconnais que les derniers jours du pire salaud peuvent nous détourner, un instant, des crimes qu'il a commis. Je pense aux poèmes de Fresnes, rédigés par Robert Brasillach, dans sa cellule, quelques nuits avant son exécution au fort de Montrouge, en 1947 : «On dit que ni la mort ni le soleil ne se regardent en face. J'ai essayé pourtant […].» L'homme qui envoyait les juifs à la mort dans ses éditoriaux de *Je suis partout* aura eu l'occasion de voir venir la sienne, plein

47

cadre : Guy, dont les déboulés dans les coursives du XVIIe n'ont jamais fait de mal à personne, n'aura pas eu cette chance! Les bourreaux étaient d'ailleurs si pressés de lui ôter la vie, que ses derniers mots se chahutent sur le papier, c'est un bout de crayon qu'on lui a cédé : «Ma petite [...] Ce que je regrette le plus [...] Mille caresses [...].»

Sept ans ont passé depuis la disparition de mon grand-père. J'ai sous les yeux la dédicace d'un écrivain nantais, Étienne Gasche, m'offrant son livre : *Cinquante otages, mémoire sensible...* L'envoi dit ceci : «À Pierre-Louis, l'évocation émouvante de ces terribles années auxquelles tes parents et grands-parents ont participé avec beaucoup de courage.» Mémoire sensible...

La honte et la colère me quitteront-elles de ne pas avoir suffisamment posé de questions à ceux qui vivaient tout près de moi. Était-ce l'école qui ne jouait pas suffisamment son rôle? Le foot, dans les cours de récréation, trop absorbant? Ou bien la cruauté de l'enfant qui se détourne systématiquement des anciens, par bravade?

2 avril 1993. Je regarde mon grand-père, mort, allongé dans son cercueil. Avec mon père, nous lui avons passé son beau costume de flanelle grise, avec la Légion d'honneur au revers du veston. Elle avait tout de même fini par arriver en 1986. Nantes. Tout au bout du couloir, il fait sombre. Il y a une assez forte odeur d'eau de

Javel, qui remonte du sol en linoléum. Puisque c'est fini, on a déménagé le petit deux pièces assez propret que mon grand-père a partagé avec Blanche, ma grand-mère, ces dernières années. Tout va si vite. Un autre couple âgé s'installe. Pierre et Blanche ont fini leur chemin ici, dans cette maison de retraite de la rue de Bréat. Un bâtiment lumineux, une façade en pierre, employés modèles; le dernier cadeau du siècle à tous ceux qui ont eu la chance de revenir des camps. À quelques centaines de mètres des quais de la Fosse, d'où partirent les premiers négriers. Mon grand-père est mort. Je n'ai eu ni le temps ni le courage de le féliciter pour sa vie. Pour ce qu'il m'avait enseigné, sans le vouloir. Pour son évasion du camp de Châteaubriant, avec Auguste Delaune, un mois après la fusillade.

Vous aviez tellement ri : la fermeture Éclair de ton pantalon était restée accrochée aux fils de fer barbelés du camp... Et tous ces blocs de pierre transportés vers le tunnel de Klagenfurt, sous les ordres des SS. Et l'infirmerie de Dachau dont tu es revenu, grâce au soutien des camarades. Je te regarde. Quand on meurt assez vieux, il n'y a plus grand monde autour. Tous tes copains sont déjà partis; beaucoup ne sont pas revenus des camps. Je te regarde encore. Je sais bien que, dans la nuit qui avait précédé la fusillade de Châteaubriant, le 21 octobre 1941, dans ta baraque 3, vous aviez évoqué la possibilité d'un soulèvement général. Toute la nuit. Et tu ne t'es pas gêné, avec d'autres copains, pour insulter le sous-lieutenant Touya, qui allait conduire Guy vers la mort.

Ton grand corps d'ancien métallo est maintenant légèrement replié, les genoux sur le côté. On pourrait croire à un long sommeil. L'aventure d'une sieste, en été. Je vais t'embrasser, pépé. Parce que trois types s'approchent cette fois et vont refermer le cercueil. Quatre vis à chaque coin. Je t'embrasse encore. Une dernière fois, je vais me souvenir qu'en 1970, tu avais réussi ton coup : toute la famille s'était retrouvée dans une grande salle municipale, du côté d'Aulnay-sous-Bois, je crois. C'était un repas offert à tous les membres de la Fédération nationale des anciens déportés, internés et résistants. Enfants et petits-enfants mêlés. Esther nous avait traînés à ce banquet que je redoutais, avec mes sœurs. Tous ces vieux qui avaient fait la guerre. Quel ennui! Vous parliez fort, mangiez beaucoup. Le député du coin avait du coffre et quelques bonnes blagues en réserve. Pourtant, quelque chose m'avait frappé dans cette salle, qui parvenait à me distraire de mon ennui d'enfant, un dimanche de banlieue, dans cette guerre que je ne connaissais pas : à tes côtés, sur sa chaise roulante, un homme dont le rire achevait de déformer son visage. Des yeux globuleux, débordés par tant de mauvais souvenirs. C'était lui, le fameux dentiste de Châteaubriant! Le dentiste, René Puybouffat; il était parvenu avec ton aide à récupérer dans son cabinet, toutes les planches découpées clandestinement par les prisonniers. Esther les avait glissées dans son sac. Arrêté en 1942, son corps était encore déformé par les dizaines de coups de nerf de bœuf que les SS lui avaient assenés dans un réduit de Dachau. Employé au *Revier*, il avait réussi à cacher tes blessures au pied : un furoncle pouvait très bien vous envoyer à la mort. C'était donc ce gars-là, maintenant complètement disloqué sur sa chaise, la serviette en bataille, et cette salive atroce au bord des lèvres, qui avait ferraillé avec toi. J'en faisais mon héros. J'imaginais son courage dans la nuit, les tours de passe-passe pour refiler de la nourriture aux prisonniers.

Dans la salle, une femme se mit alors à chanter le refrain des «canuts»; elle avait jailli des cuisines. Une employée sans doute des écoles municipales. Sa voix était si forte et belle que le silence s'était installé de manière assez brutale et surprenante... «C'est nous les canuts [...] nous n'irons plus nus [...].» On me glissa à l'oreille que cette chanson racontait la misère des ouvriers du tissage, dans leurs fabriques, sur les pentes de la Croix-Rousse, à Lyon. Moi, je n'y croyais pas. Les canuts étaient autour de nous, là, dans cette salle un peu triste, seulement égayée par les rires et les joues empourprées des anciens. Ils avaient été nus, fragiles, aux aguets si longtemps. Le canut, c'était toi, au bout du quai, dans cette fin du mois de juin 1945. À Nantes, enfin, après avoir quitté seul le Kommando du Loebl-Pass, marchant jusqu'à Ljubljana. Et encore les trains : Venise, Bologne, Rome, Naples avec les groupes d'antifascistes qui te dirigent vers Marseille. Au bout du quai à Nantes, je sais bien que tu pèses trente-six kilos. Je sais aussi que Blanche vient chaque matin à la gare, depuis deux mois. Et scrute les visages. Chaque jour. Trente-six kilos. Tu la frôles. Elle ne te voit pas.

– C'est toi, Pierre…?

Au début, vous êtes quelques dizaines…

Avec l'arrivée des troupes allemandes à Paris, le 14 juin 1940, on boit le champagne dans les salons de l'hôtel *Crillon*. Plusieurs centaines de milliers d'hommes et de femmes ont quitté Paris. Il n'y a plus grand monde dans les beaux quartiers. Davantage de bruit peut-être, du côté de Belleville ou des Batignolles. Mais la foule est ailleurs. Sous les bombes de l'armée allemande. C'est l'exode. On finira bien par revenir.

«Le mercredi 12 juin, à dix-huit heures, un troupeau de vaches composant la ferme d'Auteuil se promène sur la place de l'Alma», observe un journaliste suisse. Paris est désert. Les familles reviendront courant juillet. Le 14 donc, à Paris, artilleurs allemands, infanterie, voitures et motos défilent. Place de Clichy, la célèbre brasserie *le Wepler* devient très vite le quartier général de la gastronomie pour les officiers allemands. L'établissement a de la classe... Il s'étend sur une centaine de mètres, le long du trottoir du boulevard de Clichy. Un peu plus loin, rue Forest, il y a les cinémas. Lustres énormes, petites tables qui font loges, écaillers, musique chaque soir. Ce sera l'une des tables préférées de cet homme que le Reich a envoyé comme ambassadeur à Paris : Otto Abetz... Hitler et Mussolini y dînent ensemble, un soir d'hiver 1943. Le quartier sera bouclé jusqu'en bas, vers la rue de Rome, et la gare Saint-Lazare.

Je comprends mieux aujourd'hui pourquoi Guy et sa bande se débrouillaient toujours pour ne pas traîner trop longtemps dans le coin. Derrière en effet, vers l'avenue de Clichy qui peut conduire à la porte de Saint-Ouen, patrouillaient toujours des policiers français : à défaut d'être invités à la table des Allemands, du moins peuvent-ils assurer leur protection! Le 11 juillet 1940, le maréchal Pétain est officiellement désigné chef de l'État; deux semaines passent, et, le 30 juillet, le général de Gaulle est condamné à mort par contumace. Le 12 juillet, une loi qui s'adresse aux juifs naturalisés, déchus de la nationalité française, est publiée au *Journal officiel*.

Depuis plus d'un an déjà, les prisons françaises se sont refermées sur plusieurs centaines de membres du parti communiste. Des dirigeants syndicaux également. Quelques magistrats suivront, ou des maires de grandes villes, qui ont refusé de prêter serment à Pétain. Souvent de simples démocrates. L'objectif de Vichy : préparer le terrain à l'Allemagne. Livrer un pays, clefs en main, le dos courbé. Prosper Môquet a été condamné à cinq ans de prison, à la Santé tout d'abord, puis à la maison d'arrêt de Tarbes. Ensuite, ce sera le bagne de Maison-Carrée en Algérie. Cette fois, Guy laisse définitivement tomber le collège. L'époque se durcit. Sa famille est du côté des Épinettes, avec Henri, le garagiste un peu bourru, Georges le plombier de la Chapelle, Simon, et tous les copains des «pionniers».

Dans son livre, *La Résistance et ses poètes*, Pierre Seghers se souvient que, dans un petit village d'Eure-et-Loir, une vieille femme, qui avait osé protester contre l'occupation de sa maison, a été liée à un arbre de son jardin et fusillée sous les yeux de sa fille, à qui ordre a été donné, si elle ne voulait pas subir le même sort, de laisser le corps supplicié exposé sur le lieu même du crime pendant vingt-quatre heures...

Été 1940 : Moulin a déjà tenté de se trancher la gorge. Le suicide, plutôt que la trahison. La mort, plutôt que d'apposer son paraphe à l'ignominie. On traque les pacifistes. Guy et ses copains font aux Batignolles ce que d'autres jeunes soldats sans armes imaginent aussi dans leurs quartiers. Je pense au Pr Jean Guéhenno, universitaire. Dans son sillage naîtront bientôt les *Lettres françaises* clandestines. Je pense à François de Lescure, qui prépare, avec les étudiants de l'UNEF, la manifestation du 11 novembre 1940. À Paris, il se sert d'une vieille ronéo de l'Union des étudiants de France pour imprimer des tracts et diverses publications clandestines; on se donne le mot : «Tous à l'Étoile.» «11 novembre 1940. Dix-sept heures. Champs-Élysées.» Plusieurs milliers d'étudiants descendent dans la rue. Première confrontation depuis juin 1940 avec les nazis. Affrontement avec des groupes de jeunes hitlériens français. Les voitures militaires allemandes n'hésitent pas à écraser certains manifestants. Des étudiants sont arrêtés. Brusquement, on vient de passer du coup de poing aux tirs à balles réelles. Quelques jours plus tard, l'étudiant en lettres, Claude Lalet, est interpellé à la Sorbonne. Claude rejoint Guy à Fresnes. Ils ne se quitteront plus. Ils seront emprisonnés tous les deux à Châteaubriant. Il y aura de sacrées parties de rigolade, des discussions à n'en plus finir avec les filles, le long de la palissade, des lettres échangées, à l'intérieur du camp! Il faut dire que Claude sait faire le beau devant les jeunes filles. Étudiant en lettres, il conseille vivement à Odette – la meilleure copine de Guy – de dévorer les poèmes de Pierre Louÿs; la jeune fille ne sera pas déçue en effet. Rouge comme une pivoine, pendant plusieurs jours...

Claude Lalet avait eu le tort de déplier un drapeau tricolore dans les couloirs de l'université où il étudiait, trois semaines environ après la manifestation du 11 novembre 1940. Il avait néanmoins obtenu l'autorisation de se marier, en prison, quelques jours avant son transfert à Châteaubriant. Guy ne se gênait pas pour le charrier. Il faut dire que les jeunes faisaient la part belle au sport et à la détente, les premiers mois, dans le camp de Choisel. Les coups de cafard, d'accord, il y en avait souvent; n'empêche qu'on savait aussi se mettre en boîte entre copains, oublier un peu la violence d'un pays qui ne voulait plus de vous; ces jeunes types, jamais vous ne les feriez marcher au pas. Leur idéal était à la fois concret et lointain. Claude voulait aimer sa jeune femme, étudier et, plus tard, enseigner le français. En un mot, vivre. Je crois vraiment que c'était pour cela qu'il avait emporté, dans son cartable, le drapeau tricolore, à la fin du mois d'octobre 1940. Il y a d'ailleurs, dans les derniers mots de ceux qui vont mourir, une sorte de présence commune devant la mort qui approche : il faudra que ceux que nous aimons vivent et soient heureux malgré tout. L'Histoire, mais surtout ceux qui ambitionnent d'en être les témoins sont parfois trop pressés; dans le souci bien légitime de commémorer, on finirait par oublier la petite lumière qui scintille dans l'âme du héros. Cette clarté n'a pas la prétention de parier sur l'avenir, le bien-être de l'humanité ou les richesses partagées par le plus grand nombre. C'est une clarté pourtant déchirante de tant d'enseignements. Nous venons au monde avec les nôtres. Nous repartons avec eux, même sans eux. N'est-ce pas l'amour qui l'emporte aux dépens de l'injustice, dans le cri d'Antigone, lorsqu'elle descend vers sa propre tombe? «Sous la terre, qui me garde à jamais, où je pars rejoindre les gens de ma famille [...]. C'est moi qui descends la dernière, la plus durement traitée de beaucoup, avant qu'il m'ait été donné de vivre ma vie.»

«Au moins, en partant j'ai le ferme espoir
Que lorsque je serai là-bas, j'aurai l'amour de
                        [mon père, ton amour,
Ma mère, et ton amour, frère chéri...»

Une note, adressée à la direction du camp de Châteaubriant, précisait que Claude Lalet serait libéré dans le courant de la matinée du 23 octobre 1941. Son épouse avait pris le train. C'est en arrivant au camp de Choisel, le mercredi matin, qu'elle apprit la nouvelle : Claude avait été fusillé la veille, avec son copain Guy; le jeune homme n'avait jamais tremblé dans les couloirs de la Sorbonne. Une vingtaine de minutes lui avaient suffi pour envoyer un dernier message d'amour. «Déjà la dernière lettre, et il faut te quitter! Que la route est jolie, ah vraiment; amis, chantons, chantons de toutes nos forces [...]. Un tout petit peu nerveux, mais cela n'est rien. Comme je voudrais être dans tes bras pour mourir [...]. Je sais qu'il faut serrer les dents [...]. La vie était si belle; mais gardons, oui, gardons nos rires et nos chants [...]. Courage [...]. Joie [...]. Immense joie [...]. Je t'embrasse, je te serre dans mes bras avec toutes mes forces [...]. Vive la vie! Vive la joie et l'amour [...].»

Je veux croire aussi que cette histoire est vraie : dans les sous-bois de Vincennes ou les clairières d'Ozoir, c'est toute une jeunesse qui s'efforce de recoller les morceaux. On s'envoie la balle; on s'échange aussi les prochains rendez-vous clandestins. Les reconstitutions de ligue dissoute passent par de splendides parties de campagne. C'est d'ailleurs très souvent sur des quais de gare que ces premiers résistants seront arrêtés. À quinze ans, Guy dressait ainsi des passerelles invisibles entre le jeu et l'illégalité. Dans ses nuits de juillet 1940, il pouvait faire le guet avec l'harmonica dans la poche. En même temps, il avait été formé à rude école, accompagnant dès l'âge de douze ou treize ans son père, dans ses réunions politiques du XVIIe arrondissement. N'avait-il pas confié à Juliette, quelques heures après la descente de police dans la maison normande des Môquet :

58

«Papa est arrêté [...] je dois le remplacer [...] c'est mon devoir [...]»?

Il me paraît ainsi qu'un lien, fragile et ténu à la fois, unit ces jeunes combattants. Parfois même, les prénoms se mélangent. D'anciennes volontés se répondent. Entre Nantes et Paris. Ailleurs aussi. Une sorte d'écho très pur entre tous ces embryons de résistance. Comme si le temps n'existait pas. C'est peut-être parce que nous avons aujourd'hui l'âge de nos parents quand ils combattaient. Enfin, nous regardons, comme munis d'une loupe salvatrice, d'un peu plus près ce que nous ne voulions pas voir.

Au cours du mois de juillet 1940, un incident assez sérieux s'est produit dans la classe de ma mère. Mon grand-père, Pierre Gaudin, avait été arrêté depuis déjà plusieurs mois. Interné au Croisic, il n'allait pas tarder à rejoindre le camp de Châteaubriant. Dans l'une des classes du collège Aristide-Briand de Nantes, le professeur de français venait de solliciter la classe pour la rédaction d'une lettre en faveur du nouveau chef de l'État, le maréchal Pétain; la France entière était condamnée à la ritournelle. J'entends encore la voix de ma mère : «Tu vois, je me suis levée dans la classe; je te jure, ça ne mouftait plus; ma prof a pris peur, et je lui ai dit : "Mon père vient d'être arrêté par la police française. Maman est à la prison des femmes à Rennes. Pour la lettre, vous repasserez."»

Il me semble qu'un fil, invisible, traverse cette jeunesse. Elle fait naître un espoir. En cela, Vichy creuse sa propre tombe dès cette période : bientôt, en effet – septembre 1941 –, la loi sur les otages allait s'abattre sur tous ces responsables politiques, instituteurs, libres penseurs, anciens combattants, de telle sorte que la police était, sans le savoir, jour après jour, en train de préparer la rédemption communiste sur le sol de France. Cinquante otages furent fusillés à Châteaubriant, Nantes, et au Mont-Valérien, le 22 octobre 1941 ; brusquement, le jeune chrétien Frédéric Creusé, vingt ans, ne se contentait pas d'en appeler à Dieu et à la France quelques instants avant d'être fusillé ; dans son martyre, il tendait la main au député de la Seine, Charles Michels, à Jules Vercruysse, la gueule cassée de Verdun, à Guy, Claude et André Le Moal, un enfant de Saint-Nazaire. Tous, ils avaient vécu dans un tel tourbillon leurs dernières heures que, parfois, leur certitude de vivre ou de mourir se dérobait sous leurs pas : «Je viens d'apprendre à l'instant que je quitte la prison des Rochettes, s'interroge Frédéric Creusé [...]. Pourquoi, je ne le sais nullement. J'ai entendu dire que M. le général Feldkommandant a été assassiné avant-hier matin. Serait-ce rapport à cela? [...] Peut-être serai-je fusillé demain matin, personne ne le sait, ou tout au moins on ne veut pas nous le dire

[...]. Ce que je veux vous dire avant de disparaître, c'est que je suis innocent de toutes les calomnies dont on m'accuse [...]. J'ai défendu une cause, je m'en honore [...].»

Une cause à défendre. Celle de son père. Contre vents et marées.

Le «fils Môquet» – c'est ainsi qu'on l'appelle dans le quartier des Épinettes – fait une dernière apparition à Carnot, pas peu fier de la lettre envoyée au président de la Chambre Édouard Herriot. Il ne quitte plus son vélo, Guy. Même sous les bombes, avec la pagaille sur les routes. Le 16 juin 1940 est un samedi. Guy a rejoint la maison de ses grands-parents à Bréhal, en Normandie. Il a fallu faire vite, quitter la rue Baron et souhaiter très fort que Juliette ait pu monter dans un train avec Serge. Quelle aventure! De Paris à Chartres, il n'y avait que voitures sur voitures. Guy, flanqué de son cousin, a traversé Paris totalement prisonnier par les embouteillages. Toutes les gares sont fermées. Comme les meilleurs grimpeurs du Tour, les deux garçons mangent à «la roulante» quelques morceaux de pain, sans lâcher le guidon! Merci les soldats, rencontrés sur la route. Ils passent deux nuits dans la paille. Du bon sommeil... Cinq cents kilomètres depuis Paris, en évitant Versailles, Évreux, Dreux à cause des bombardements.

61

Pour Juliette, l'équipée est plus difficile encore. Elle fait le voyage avec Serge, le petit frère. Partie de Paris avec le train des cheminots évacuant les Batignolles, Juliette échoue à Argentan, tout près d'Alençon, son train ayant été mitraillé. Elle n'est pas mécontente de pouvoir profiter d'une voiture qui prend la direction de Châteauroux : son conducteur a même eu la gentillesse de la déposer à Bréhal...

Juliette... «Juju»... Quand elle épouse Prosper, le 19 juillet 1921 à Saint-Loup dans la Manche, c'est une beauté triste qui s'appuie sur l'épaule de l'ancien combattant. Lui a mis ses bottillons vernis, la moustache est finement taillée, les yeux sont clairs comme pour prévenir ceux de Guy, trois ans plus tard. Faut-il que la tenue de Juliette soit si pâle, transparente, blanche, des souliers à la robe à voilette, sur des cheveux bruns tirés en arrière pour que l'on devine le pire à venir...? Ses deux mains sont posées en arceaux sur l'épaule de son homme. Mais le sourire un peu pincé de la jeune femme traîne une interrogation tragique : pourquoi tant d'injustices, de malheurs réunis dans une seule existence...?

Beaucoup plus tard, dans ce qu'on appelle au milieu des familles la «fin de vie» d'un homme qui a beaucoup donné et très peu reçu, Prosper sera toujours très fier de sortir, comme un trésor de guerre, la lettre manuscrite du général de Gaulle, deux jours après la mort de Juliette, qui se tue en voiture, sur une route de l'Yonne. Le mot est daté du 12 juin 1956. «Mon cher Môquet [...]. De tout cœur, je m'associe à votre chagrin [...]. Je ne vous ai pas oublié, depuis Alger, et je n'ai certes pas perdu le souvenir de votre jeune fils Guy, mort si bravement et cruellement pour la France. Madame Môquet, elle aussi, prit part à notre combat [...]. Veuillez croire, mon cher Môquet, à mes sentiments bien cordiaux et très attristés [...].»

Et quand Prosper, en bout de table, lisait la lettre, il ne manquait pas de se souvenir de cette façon unique qu'avait De Gaulle de signaler son respect, autant que son mépris : à la Libération, le chef du gouvernement provisoire de la France aimait à fendre la foule de l'hémicycle, afin de venir saluer en trombe «Môquet», cet homme qu'un éclat d'obus dans la boue de Compiègne en 1916, et pas davantage l'exécution de son fils n'étaient parvenus à fracasser totalement.

J'ai sous les yeux le certificat de bonne conduite, établi le 8 juin 1920, par le général de brigade :

«Le colonel, commandant le 54e régiment d'infanterie, certifie que le soldat Môquet, Prosper François, né le 6 janvier 1897 à Chanteloup, département de la Manche, a tenu une bonne conduite pendant tout le temps qu'il est resté sous les drapeaux et qu'il a constamment servi avec honneur et fidélité.» Vingt ans séparent la rédaction de ce certificat de l'acte d'accusation rédigé au nom de la République française, le 24 février 1940, par le commissaire du gouvernement, Louis Loriot; il y est écrit «qu'un certain nombre de députés, appartenant tous au Parti communiste français et à leur groupe parlementaire, se réunissaient dans le local de la Chambre [...]. Ils décidaient la constitution d'un nouveau groupe, dénommé : Groupe ouvrier et paysan français [...].» Le rapport insiste sur les activités subversives de ces députés, dont une dizaine est parvenue à prendre la fuite; Gabriel Péri, fusillé un an plus tard au Mont-Valérien, Catelas, Tillon d'Aubervilliers, Duclos de Montreuil, Thorez.. Tous les autres prévenus ont été arrêtés. Ce seront bientôt les vingt-sept du chemin de l'honneur, en partance vers le bagne de Maison-Carrée, à quelques kilomètres d'Alger. «Reconnus coupables d'avoir participé à une activité, conclut le commissaire du gouvernement, ayant directement ou indirectement pour objet de propager les mots d'ordre émanant ou relevant de la Troisième Internationale communiste, et d'organismes contrôlés en fait par cette Internationale [...].» Vingt ans, entre honneur et déshonneur. Mais pour qu'une machine répressive s'emballe, il faut une aide dans les rouages. Une lettre de dénonciation déposée au siège de la police judiciaire va provoquer l'arrestation de Guy, le

1921, mariage de Juliette et Prosper.

Guy en juillet 1931.

Prosper Môquet, député des Épinettes, dans les usines en grève en 1936.

Guy à Bréhal, 1938.

Serge et Guy,
rue Baron,
juillet 1939.

Photo prise sur l'emplacement des «fortifs» porte de Clichy,
de gauche à droite : Guy Môquet, Henri Breux, Lucien Berselli.

Roger Sémat,
Jean-Pierre Timbaud,
Rino et Guy
dans le camp
de Choisel.

Marguerite Fabre, Paulette Capliez, Antoinette Bonnefoy, Odette Niles, Merlot Audier, Raymond Broustein, Charles Kolosa, Raoul Robert.

Juliette, Guy et Serge dans la baraque, à Châteaubriant.

Guy et Jean Mercier, septembre 1941.

Claude LALET
Guy MOQUET

Maurice SIMONDIN

AMP DE CHOISEL *fête du 21 septembre 1941*

Rino SCOLARI
Pierre TIMBAUD
Roger SEMAT

CAMP DE CHATEAUBRIANT
e 12 septembre 1941
a Chambre 10, avant les fusillades

Maurice SIMONDIN
Victor RENELLE ing. chimiste
Jean GRANDEL maire de Gennevilliers
Guy MOCQUET
Pierre RIGAUD secrétaire de M. THOREZ

Molly, Desmoulin, Pourchasse, Guy, Thoreton, Auffret, Granet.

Sous la croix, Pierre Gaudin, mon grand-père.

Les femmes du camp ; Timbaud vient faire le pitre.

Châteaubriant,
la mère, les tantes et Serge sur les lieux de l'exécution.

Esther, ma mère lors de la première commémoration, à Châteaubriant, en 1944.

Marcel Cachin et Jacques Duclos devant la photo de Guy, rue Baron.

Juliette au premier plan, lors d'une commémoration, rue Baron.

Rue Baron, Michel Debré, Louis Aragon, Juliette Môquet.

13 octobre 1940, gare de l'Est. Cinquante-neuf ans plus tard il y a quelque chose de troublant à lire le témoignage d'un député qui en accable un autre, devant les gendarmes. Je ne rêve pas. Le procès-verbal est daté du 30 octobre 1939. Il est rédigé par la gendarmerie de Mauriac, dans le Cantal. Prosper Môquet est en prison depuis plusieurs semaines. Mais l'enquête autour de ses activités se poursuit. Prosper Môquet s'était installé dans ce village, durant quelques jours, avec Juliette et ses deux fils, au début de l'automne 1939. Il vit ses derniers jours de liberté en compagnie de Guy, qu'il ne reverra qu'une fois, derrière un grillage, à la Santé. Un certain Fernand Talendier, soixante-sept ans, député maire de Mauriac, trouve curieux que la Chambre s'intéresse à Prosper Môquet. En fait, explique M. Talendier aux gendarmes, une dépêche de convocation à la réunion de la Chambre du 2 septembre a été envoyée à son confrère, de passage à Mauriac. Talendier ne connaît pas ce Môquet; très vite, pourtant, il se renseigne et découvre par l'annuaire des députés que ce collègue est communiste et qu'il est descendu au domicile du chef de la cellule de Mauriac. Aux gendarmes, Fernand Talendier précise qu'il a fait connaissance, tout à fait par hasard, avec M. Môquet, le jeudi 7 septembre 1939 à la gare d'Eygurande (Corrèze). «Alors que j'attendais le départ du train pour Mauriac, j'ai eu

l'occasion d'entrer à la buvette de la gare. Là, j'ai vu autour du comptoir, un rassemblement de vingt ou trente personnes et entendu un orateur qui pérorait, moitié sur le ton de la conversation, moitié sur le ton diplomatique. Il tenait les propos habituels du parti communiste et exposait que nous n'aurions pas eu la guerre si nous avions voulu nous entendre avec les Soviets et Staline […]. J'ai cru devoir intervenir et imposer silence à l'orateur en lui faisant remarquer qu'il s'exposait à être arrêté sur-le-champ s'il continuait à tenir de pareils propos […]. »

Oui, Talendier et Môquet se sont bien croisés en gare d'Eygurande. Et quelques minutes après l'incident, les deux hommes se retrouvent sur le quai. Ils viennent de quitter la buvette de la gare. Le train arrive qui les conduira à Paris, pour une réunion à la Chambre.

– Vous êtes monsieur Talendier, député de Mauriac… ?

– Lui-même.

– Eh bien, je le suis également, député. Depuis trois ans.

– Vous avez tort de tenir des propos semblables à ceux que je viens d'entendre!

– Qu'est-ce que vous croyez, monsieur le député-maire de Mauriac, que nous allons nous taire parce que vos amis ont saisi notre journal…?

– Je vous dis de vous taire!

– Et moi, je vous dis que j'ai vu bien trop
d'horreurs il y a vingt ans, pour que tout cela
recommence. Votre sale boucherie, ce sont
toujours les mêmes qui la font : les pauvres. Et
vous, au balcon, vous comptez les morts.

– Vous finirez en prison monsieur Môquet!

C'était peut-être ce caractère un peu entier qui
avait fait hésiter Juliette, au début, concernant le
mariage avec son «pépère» comme elle disait.
N'empêche, quand il était parti sur le front, dans
les Ardennes, Prosper avait tout juste dix-sept
ans, et elle avait bien voulu devenir la marraine
de guerre du jeune soldat. Une marraine, c'était
déjà beaucoup. À coup sûr, il y aurait du
courrier. Jusqu'à cette blessure qui lui avait
bousillé l'omoplate, c'était Juliette, avec ses
lettres, qui lui avait permis de tenir le coup.
Maintenant, la marraine est un peu fatiguée.
Juliette a beau se dire que cela ne va pas durer
toute la vie, qu'un armistice, peut-être, finira bien
par arranger les choses, elle est inquiète. Guy est
intenable avec son vélo. Serge voudrait déjà
imiter son grand frère. Surtout, Guy passe la
plupart de ses journées à organiser des
distributions de tracts. Tout ça finira mal. Trois de
ses copains ont été arrêtés. Et dire que son Guy
avait deux classes d'avance sur les autres!
«Toutes les branches lui seront ouvertes, lui avait
dit le proviseur du lycée Carnot. Mais depuis que

son père a été arrêté, il n'y a vraiment rien à faire
[...].»

Juliette s'est allongée un moment sur le lit de la
grande chambre, à l'étage, dans cette maison qui
appartient à ses parents. Il fait bon à Bréhal, ce
soir. Un peu de fraîcheur vient taper sur le
granite et c'est tant mieux; l'air qui débarque est
toujours un peu marin, si près de Granville. Et
puis, on est en juin tout de même. Une odeur
d'herbe fraîchement coupée entre par la cuisine.
Guy n'a pas eu assez de ses cinq cents
kilomètres depuis Paris avec Louis; il rentre à
peine et vient de refermer la grille. Il a dû traîner
un peu sur les plages de Granville. Puisque le
chahut des routes ne nous a pas empêchés de
rejoindre la maison, nous resterons là, une bonne
partie de l'été, en espérant que les lettres
envoyées à Prosper lui parviennent le plus vite
possible!

Juliette avait beau s'inquiéter pour Guy, elle
savait bien que les chiens ne font pas des chats.
Il faut dire que le petit, c'était sur les épaules de
Prosper qu'il était juché, un jour d'hiver 1926 – il
avait deux ans – et les policiers avaient chargé.
Un défilé au mur des Fédérés... L'hommage aux
héros de la Commune de Paris. La police
intervenait toujours assez brutalement. Prosper
et Juliette étaient donc allés au Père-Lachaise.
Elle n'avait pas oublié la bave des chevaux, les
jarrets, tout près de Guy, ses grands yeux bleus

étonnés, l'excitation et, finalement, le retour précipité, à pied, dans l'appartement du 25, rue Sainte-Isaure, dans le quartier Clignancourt.

Maintenant que Guy a décidé de remplacer son père, aux Épinettes, elle ne va pas l'empêcher de distribuer ses tracts. Elle était bien d'accord pour le laisser tenir la permanence du député, avec son copain Bréchet... Désormais, Guy, il sait tout faire, parle fort, et rien ne pourra l'empêcher de coller des papillons avec Henri, dit Mickey, Georges, Jean et tous les autres. Juliette savait bien que son fils avait le goût des rues, le déhanchement facile sur son grand vélo noir et le verbe haut capable de vous mettre les ennemis à bonne distance. Plus tard, dans l'une de ces nombreuses lettres qu'elle écrira à Prosper, Juliette regrettera même d'avoir forcé Guy à poursuivre ses études à Carnot, se reprochera une trop grande sévérité aussi. Elle se faisait du mal inutilement, car c'était bien le balancement permanent entre le mystère du savoir, les contraintes d'une belle écriture et une vie plus rude à l'extérieur qui donnait à Guy cet incomparable charme de gentil voyou.

À Carnot, il n'avait jamais eu vraiment besoin de la ramener pour faire le ménage autour de lui. Un jour que son copain André Balland tapait avec lui dans une boîte de conserve, le long du pont Cardinet, Guy, du bout des lèvres, mais avec beaucoup de sincérité, avait dit à André :

– Tu sais, il faudra que tu viennes un de ces jours défiler avec moi. On est heureux comme ça à se serrer les coudes, dans la rue. On a peur de rien. Et tu verras que nos idées finiront bien par triompher, comme en URSS.

– Ma mère, elle a trop de chagrin pour s'intéresser à tout ça. En plus, on passe notre temps au cimetière, alors les défilés...

André avait onze ans. C'était en 1936, le 2 novembre. Un triste début de mois pour la famille Balland : la fortune avait disparu et le père s'était logé une balle dans la tête. Définitivement. La mère et l'enfant avaient donc quitté l'appartement avec moulures du Champ-de-Mars ; direction les Batignolles. Ça vous changeait la vie. Pour tout arranger, la mère, à défaut de mari, semblait avoir épousé durablement le chagrin. André, tout habillé de noir, débarqua, fragile comme un saule pleureur, au milieu d'une 6e assez remuante. On lui fit le coup de la mouche noire. Bzzz dans les oreilles... André l'entend encore. À la sortie, Guy était venu vers lui comme on vient vers un copain blessé que personne ne ramassera. Prêt à cogner. Et Guy cognait dur s'il le fallait. Voilà. Les deux familles n'allaient pas se mélanger. L'une abonnée aux regrets éternels. L'autre au Front populaire. N'empêche qu'une certaine légèreté s'était peu à peu glissée entre les deux enfants. Jusqu'au départ de Guy, comme ça, ils tailleraient la route.

Rue Jouffroy, rue Cardinet, jusqu'à ce mystérieux comptoir à bijoux. Après, ce serait une autre affaire... Mais quand Guy avait brutalement disparu de la circulation, en octobre 1940, André s'en était inquiété auprès du proviseur qui n'en savait pas davantage. Encore quelques mois, et celui qui ne rêvait pas encore à fabriquer des livres, entendit la nouvelle, écoutant Radio-Londres à la volée. André pleura beaucoup. Un jeune homme s'en allait qui n'avait même pas pris le temps de devenir son ami. Mme Balland, ne pouvant imaginer que l'on pleurât un autre corps que celui de son défunt mari, eut un hoquet d'incompréhension. Peu importe en vérité ; plus tard, dans les locaux de la police, le franc-tireur tire sur tout ce qui reste de nazi. Seules les motocyclettes sont épargnées. Il vise. Maintenant, il n'est plus cet enfant peint en noir pour un père suicidé. Il vise. Parfois, il atteint sa cible. Il voudrait tirer toute sa vie. Sur tout ce qui ressemble de près ou de loin aux assassins de Guy. Sur tout ce qui le sépare désormais du garçon à la bouille rieuse, poussant une boîte de conserve sur le trottoir du pont Cardinet, pour faire comme si l'on jouait au football.

Le 22 octobre 1941, les couverts encore sur la table de la baraque, Guy placera son harmonica dans la petite valise, sur l'étagère, comme on dépose les armes. Et en avant ! Dans la poche, juste un petit mouchoir de Cholet, du coton très frais à fines rayures bleu marine, sur un simple carré blanc, qu'il faudra serrer très fort.

L'harmonica, il est dans la vie de Guy, depuis toujours, comme un vélo, comme une paire de chaussures de foot qu'on regarde au pied du lit, quand elles sont bien cirées. C'est histoire de rêver à la partie qu'on va disputer avec les copains.

Avec Rino à Châteaubriant, le «frangin» italien, l'harmonica jouera «La Jeune Garde» dans le dos des gendarmes, et puis quelques douceurs aussi : «La nuit est limpide, le temps est sans rides [...].» Il y avait, parfois, des tentatives de bals-musettes dans les baraques, des amorces de fêtes. Pour oublier la soupe de pommes de terre, les «rutas» et, surtout, qu'on était enfermés. Ça n'allait pas bien loin..

Mais l'harmonica, c'était aussi le guet, tout au bout du boulevard Bessières, comme ça pouvait très bien chauffer avec les soldats allemands. «Attention, ils arrivent!» Un souffle dans l'instrument, et ça détalait sur le boulevard, les motards aux fesses, un peu perdus dans la rue de la Jonquière... Les gars, ils connaissaient le parcours! Depuis son retour de Bréhal, Guy était remonté comme une pendule. L'horizon était vraiment dégagé. Le vélo, il servirait désormais à écumer les marchés : Saint-Ouen, Pajol, rue des Moines. Surtout Saint-Ouen... Un peu plus bas, après La Fourche. Stratégique cet endroit, nous disent aujourd'hui les anciens clandestins qui tentent de faire le tri dans leurs souvenirs.

J'aurais pu écrire ce livre pour d'autres adolescents, qui n'ont pas hésité à traverser la vie en improvisant l'avenir, dès le mois de juin 1940. J'aurais pris le temps d'observer d'un peu plus près les affaires de Claude, Frédéric, Jacques, Danièle, François, Pierre ou Marcel. Ne demandez pas les noms, c'est inutile, la grande histoire s'en moque pas mal. Ce livre, j'aurais pu l'écrire aussi pour André Le Moal, de Saint-Nazaire, exécuté à seize ans. Une présence si discrète sur le front des martyrs, qu'il aura fallu attendre un demi-siècle pour que nous retrouvions une photo de ce jeune lycéen.

Sans doute, la trajectoire rectiligne de Guy Môquet, né à Paris le 26 avril 1924, a-t-elle abandonné, ici ou là, des choses qui semblent pouvoir m'appartenir. À moi seul. C'est comme une obsession, un refrain devenu indélébile avec les ans. Ses rues sont les miennes, ses courses identiques aux miennes, au bas de l'avenue de Clichy. Les lettres qu'il a laissées me reviennent en mémoire. Je pense à ces cartes postales réunies bout à bout et que l'on affale en accordéon. Le procédé plaît aux touristes. Parfois, je crois y reconnaître la «pose» de mon existence. L'avenue de Clichy, le *Wepler* – sa terrasse fait face à la première station de métro de Paris –, les cinémas, Carnot, les filles aux yeux vagues qu'on embarque à la nuit tombante, après un dernier grec. Et tous ces livres volés à la *Librairie de Paris*, nos seuls défis. J'ai vécu aussi, au 99, rue des Moines. Je dormais chez une amie, à quelques dizaines de mètres d'une maison où avait vécu une copine de tango de Guy, en 1937. Le rameur affronte ainsi les vents contraires. Les efforts sont vains : toujours il revient au point de départ. Carnot est à quelques centaines de mètres du lycée Jules-Ferry, où j'ai découvert l'histoire, et les livres, il y a un peu plus de vingt ans. Vingt ans : le temps qui avait été nécessaire au député Môquet pour passer la frontière du déshonneur. Au lycée Jules-Ferry, je fis la connaissance de Germaine Willard. C'était une époque où un professeur d'histoire avait le droit d'écraser sa gitane maïs, sous son bureau, avant de débuter le cours. Comptait surtout son savoir. Nous, on buvait des coups au *Liverpool*. Guy et ses copains, eux, prenaient le parti du risque. Il y avait au 78 de l'avenue de Clichy un centre de recrutement pour la LVF. Un soir, la vitrine avait littéralement volé en éclats. Des commerçants avaient cru apercevoir deux ou trois jeunes gens, filant à vélo vers l'avenue de Saint-Ouen.

Nos révoltes étaient bien pauvres, comparées à celles de Guy et de tous ses amis. D'ailleurs, nous n'avons rien vécu, ou si peu... Trop jeunes pour faire semblant de croire à la Révolution, en 1968. Quelques grèves dans notre cursus... la colère de voir mourir Pablo Neruda, si seul au Chili, la honte de n'avoir pu empêcher le garrot de Puig Antich, le calvaire de Bobby Sands... Mitterrand au Panthéon et Tapie à la sortie... Quelle aventure!

Parfois, histoire de nous consoler de n'avoir plus rien à défendre de bien sérieux, nous n'avons pas hésité à comparer Baader à Rimbaud. Un peu de surenchère ne faisait pas de mal dans les familles. Il faut dire que la barre était placée si haut. Et, toujours, l'ombre de Guy faisait comme un écho à nos conversations. Esther avait tenu dans ses mains, secrètement, sa dernière supplique : «Vous qui restez, soyez dignes de nous, les vingt-sept qui allons mourir [...].» Impossible d'y échapper. Soyez dignes de nous qui allons mourir.

Notre passage, chaque fin d'été, à la sablière de Châteaubriant, mettait un point final à nos vacances. Comme un dimanche soir, qui flirte déjà avec le retour au travail. Il faut parcourir dix-sept kilomètres, de Châteaubriant, pour rejoindre Treffieux, petit bourg du pays de la Mée, où vivait ma grand-mère, institutrice à la retraite. Son esprit, laïc et désintéressé, semblait jaillir des plus belles pages du Jules Vallès de *L'Enfant*. C'était une femme qui avaient eu la force de mépriser la souffrance et l'amertume, quand les balles de Verdun lui avaient pris celui qu'elle attendait au village. Sa douceur m'empêchait de regarder les heures. À peine arrivé de Paris, j'allais rêver assez longuement devant un grand feu préparé dans la pièce la plus vaste, profonde et chaude, d'une maison dont les murs offraient au visiteur une incomparable épaisseur de vie. Treffieux. Ma campagne à vélo. Et l'ombre revenue des fusillés de Châteaubriant. De l'autre côté de la grand-rue, dans le grenier du boulanger, Fernand Grenier, bientôt ministre de l'Air du général de Gaulle, se cache pendant plusieurs jours, haletant dans la paille. Nous sommes le 18 juin 1941. Il s'est évadé du camp de Châteaubriant. Dans quelques semaines, il rejoindra Londres. Fernand Grenier vient de passer neuf mois auprès de ses camarades. Dans ce grenier déjà, il pense aux chants des internés, à ce *P'tit Quinquin* repris en chœur dans les baraques par ceux qui avaient faim : «Min p'tit pouchin, min gros rojin.» Plus tard, dans l'un de ces banquets offerts aux anciens déportés, il n'est pas une fois où je n'ai entendu, avant la séparation, ce colosse à la chevelure encore épaisse et blanche, les lunettes embuées d'émotion, interpréter cette berceuse du Nord, comme un refrain à sa propre histoire. Dans le grenier, il pense aussi à ce Guy, si jeune, qui compose avec son copain métallurgiste des poèmes dont la pureté d'âme l'a bouleversé. Treffieux, voisine du Don, où la ligne se tend pour prendre une ou deux perches, quelques gardons qui meurent au soleil. Le jardin est si long sous la voûte des raisins en septembre, qu'une fois passé le rond-point, près du grand tilleul, je crois bien avoir avalé d'un trait, l'Aubisque et le Tourmalet. Je ne savais pas encore qu'à six kilomètres du jardin, plus près du vent du large et des marécages, des ronces et des roseaux, René-Guy Cadou, le poète instituteur de Louisfert, l'ami de Max Jacob et de Pierre Reverdy, avait pris son vélo, frôlant la petite grille. Un mercredi, le 22 octobre 1941. Cadou, allez savoir pourquoi, avait lâché ses enfants et prit la route de Châteaubriant. En revenant le soir, près d'Hélène ayant entendu les chants dans les camions, il avait noté sur son cahier : «Ils ne sont déjà plus du pays dont ils rêvent [...]. Ils sont bien au-dessus de ces hommes/qui les regardent mourir/il y a entre eux la différence du martyre/Parce que le vent est passé là ils chantent/Et leur seul regret est que ceux/qui vont les tuer n'entendent pas.»

Et c'est à nous tous, bien calés sur nos sièges, que ma grand-mère adressait un dernier signe de la main, avant notre départ. On se quittait une première fois au pied de l'église, à deux pas de la route de Bordeaux. On se retrouvait au fond du jardin, juste devant la grille. Léontine avait eu le temps d'acheter un dernier pain, pour la route, courant dans le jardin, craignant de nous mettre en retard. «Allez, rentrez vite les enfants!» La paume de l'institutrice s'agitait loin derrière nous. Dans le rétroviseur pour mon père. Dans la vitre arrière pour les enfants. Nous ferions, de toute façon, une première étape, quelques kilomètres plus loin, dans la carrière. Aujourd'hui encore, sans en connaître la raison, je me souviens que cette dernière chevauchée du départ, ce dernier geste affectueux en notre direction n'avaient rien d'une manifestation de joie; enfant, je croyais y apercevoir quelque chose de triste, comme un jouet cassé, un mauvais présage que les adultes embarqués dans leurs multiples occupations ne peuvent imaginer. Esther descendait la première dans la carrière. Le drapeau tricolore était nettement visible, planté tout en haut de la statue de Rohal. Je descendais à mon tour. Un poids sur l'estomac

La rentrée scolaire approchait.

Il y eut aussi ce dimanche de juillet 1977, à Nantes. Tout en haut de l'escalier qui surplombe le passage Pommeray, à mi-pente de la place Graslin. De chaque côté du passage, il y a des boutiques de gravures anciennes. On trouve assez facilement des «marines» locales. Le vent s'y engouffre, fait sa place. C'est la fraîcheur assurée, même en été. Un passage ouvert à tous les risques, toutes les confidences. Aujourd'hui encore, les bruits étouffés par la charpente nous renvoient au chuchotement de coulisse, dans les allées du Goum à Moscou. J'imagine que le passage Jouffroy, près de l'Opéra à Paris, offre au passant les mêmes sensations de vertige. Nous sommes assis tous les deux. Un bon déjeuner, en bord de mer, près de Tharon-Plage, dans un restaurant de poissons qui a disparu depuis. On disait toujours qu'on allait à «la Prée». Pierre, je l'appelais Pépé. C'était l'été, et il se décidait brusquement à me donner quelques pistes, un ou deux repères, loin de la famille, pour comprendre. En juin 1940, dès la fin du mois, son travail consistait à récupérer des armes abandonnées dans des terrains vagues ou des champs. Ça n'avait pas été simple de tirer dans une charrette bâchée par des vrillons et de vieilles planches ces soixante-quinze fusils Lebel et mousquetons découverts dans une prairie de Saint-Sébastien, à une trentaine de kilomètres de Nantes. Trouver les cartouches, à Rennes. Planquer le matériel. Le trafic avait été repéré par un voisin, agent de police. Dans le petit appartement mansardé de la rue des Hauts-Pavés, on s'était activé pour que les policiers ne mettent pas la main sur des tracts. Esther et Blanche avaient fait fonctionner la chasse d'eau! «Vite, mon cuir!» Les toits. Un peu d'équilibre au-dessus du vide. Les mains sont coupées par le gel sur l'ardoise. Jamais très doué quand il s'agissait de foncer. Ce sera d'ailleurs la même chose, au printemps 1942, sur le pont de Chaville, avec ce copain autrichien, Koln Ignatz, je crois. Les flics les avaient repris sur la route de Versailles.

À Nantes, Pierre n'a pas eu le temps de se servir de son revolver. Les coups, à la prison centrale, puis le transfert au Croisic et l'arrivée au camp de Châteaubriant, le 1er mai 1941. Avec le muguet dans les champs et les menottes aux poignets. Pierre, responsable de la baraque 3, voit partir trois de ses bons copains, en fin de matinée, le 22 octobre. Trois Nantais : Émile David, dix-neuf ans, Maximilien Bastard, et Julien Le Panse. Il les a vus partir, David et Maximilien, main dans la main, inséparables. Avant de monter dans le camion, David envoie ses dernières pensées : «J'ai fait une paire de sabots à trèfle à quatre feuilles, pour toi, chère maman; et l'hydravion, pour mon cher petit frère. Je n'ai rien pour Suzanne [...].»

Un épisode de la vie de Pierre, dans cette baraque, m'était totalement inconnu : il est tard lorsque je retrouve un document qui l'atteste. C'est un témoignage recueilli par un groupe d'anciens résistants nantais. Un copain de baraque, Henri Duguy, exprime son chagrin au moment où disparaît mon grand-père, le 2 avril 1993 : «Pierre, pardonne-moi de dévoiler aujourd'hui ce que tu me confiais en aparté [...] de toutes les épreuves que tu as subies, Châteaubriant a été la plus terrible, et tu ne pouvais t'en détacher [...]. 22 octobre 1941, alignés sur ordre devant nos châlits, tu étais à mes côtés [...]. Soudain, deux noms, ces deux jeunes [...]. Bastard et Émile [...] deux jeunes, vingt et vingt trois ans [...]. Bastard très rouge, le regard brillant, Émile, très pâle, le regard perdu. À ce moment, d'un bond impulsif, tu t'es avancé vers le lieutenant Touya [...]. Tu toises l'officier allemand : "Vous n'allez tout de même pas fusiller ces gosses-là...!" Je n'oublierai jamais l'indicible douleur d'un militant et d'un père [...]. Là, sans aucun doute, le 22 octobre 1941, offrant ta poitrine aux balles allemandes, tu étais devenu d'un seul coup ce grand frère que la vie ne m'avait pas donné [...].»

Pierre ne m'avait jamais rien dit de cet événement. Et pas davantage Esther. Cette vie provisoire leur appartenait. Je comprenais brusquement la méfiance future du Parti à l'égard de ces aventuriers de la liberté. Ils avaient tant inventé leur vie, chaque matin, qu'il devenait difficile de leur faire la leçon. J'aurais aimé réveiller dans la nuit celle que j'aime pour lui faire part de cette découverte.

En face du lycée Jules-Ferry, été 1940, il y avait un grand cinéma, à l'angle de la rue Forest et de la rue Caulaincourt, juste avant de remonter vers

le cimetière de Montmartre. Le *Gaumont Palace*.
Le cinéma a été détruit dans les premiers mois
de 1975. On y a construit au même endroit, un
immense Castorama, temple du bricolage bon
marché. Dans ce cinéma avec balcon, Guy et
ses copains Georges Abbachi, Henri Breux, dit
Mickey, Jean Fumoleau, Robert Dufeau, viennent
balancer des tracts hostiles à l'occupation
allemande. Le procédé est toujours le même. Le
coup du triangle. Jamais dans les cafés. Des
rendez-vous rapides. Aucun retard ne doit être
toléré. C'est un peu fragile au début, mais
l'enthousiasme fait tout de même de belles
choses. Harry Baur et Chaplin se découpent sur
l'écran. Les trois garçons s'en fichent pas mal. Ils
sont venus pour les actualités. C'est toujours le
moment choisi pour balancer les papiers. Henri
est au balcon, dans le noir, le long de la
balustrade, avec sa petite planchette reliée à un
fil, que tire Jean, tout en bas, parmi les spectateurs. Guy est en couverture, près de son vélo,
posé contre le mur du passage de Clichy. Ça va
vite. Bréhal, les plages de Granville, la campagne
lui ont fait le plus grand bien. Il n'y a pas que
son petit frère qui a le visage bronzé. Guy est
en forme. Et quand il s'échappe, à vélo, c'est
souvent de justesse avec les gendarmes aux
trousses.

J'ai retrouvé une citation à comparaître devant
le tribunal de simple police de la ville de Paris.

copie n° 398. Elle rappelle que «le 8 août 1940, Guy Môquet, habitant au 34 de la rue Baron, dans le XVIIᵉ arrondissement, avait contrevenu à l'ordonnance de police du 15 mars 1925, pour circulation irrégulière et lutte de vitesse avec un vélo. .». Lutte de vitesse... Guy doit se présenter à quatorze heures trente, le 27 juin 1941, au Palais de justice, cour du Mai, à gauche du grand escalier.

Comment pourrait-il se rendre à cette convocation, puisqu'il est enfermé au camp de Châteaubriant depuis le 16 mai 1941?

L'amende s'élève tout d'abord à trente-sept francs et trente centimes. Elle sera immédiatement majorée, au terme du jugement. Ainsi, le 9 octobre de la même année, un certain Georges Gauthier, huissier de justice a laissé copie de cette amende au domicile de M. et Mme Môquet. Cette fois, il faut s'acquitter de quatre-vingt-dix-sept francs. Le commandement précise également qu'une femme au service de M. Môquet avait ouvert la porte. Cette femme n'était autre que Juliette Môquet. Avec l'arrestation de son fils, Juliette sort peu, se méfie autant de la Gestapo que des policiers français. Elle se ravitaille doucement auprès de quelques amis sûrs et finira par ne plus ouvrir sa porte. Il faudra se déguiser, pour échapper à la Gestapo, postée devant le 34 de la rue Baron.

Toutes ces rues, qui hésitent constamment entre les XVIIe et XVIIIe arrondissements, Guy et ses copains s'y faufilent pendant l'été 1940. Il y a belle lurette que Carnot a été abandonné. Guy est devenu le patron de la jeunesse communiste du XVIIe arrondissement. Georges et Henri, il les a connus tous les deux en dégustant de bonnes petites pommes de terre, dans les camps de pionniers de Draveil, l'été, à la coule. On embrassait les filles dans le cou, sur les chemins de la forêt de Sénart.

Ils s'étaient retrouvés, dès 1936, gamins, dans l'arrière-salle de *Chez Courtex*, rue Balagny. À l'époque, on les appelait les «amis de la paix», les pionniers aussi. Ils en pinçaient drôlement pour l'URSS… À la maison, on préparait des paquets pour les enfants espagnols. Parfois, on en prenait un ou deux dans la famille. Le 14 juillet 1938, Guy avait fait le spectacle au café, et tout le monde avait bien dansé. Il fallait bien distraire ce frangin, Félix, que les parents de Georges avaient accueilli, au mois de mai. Félix n'en menait pas large : il était arrivé à Bordeaux, dans un bateau qui avait pris la mer à Gijón; dans ses cales, mille deux cents à mille cinq cents enfants qui avaient échappé à Franco. La quête pour l'Espagne républicaine, elle pouvait se faire tout à la douce, dans les HBM de la porte Pouchet, ou sur le marché de la porte de Saint-Ouen, devant *La Chope des Vosges*. C'était beaucoup plus compliqué quand les enfants, par bravade, allaient y voir d'un peu plus près, du côté de l'église Saint-Ferdinand aux Ternes. Brusquement, le préau de Carnot s'était reconstitué sur le parvis; devant l'église, on s'était échangé quelques bons bourre-pifs, d'épais crachats aussi, prolétaires contre gosses de l'Étoile ou de la plaine Monceau.

La tombola servait aux familles des Asturies. On disait *Chez Courtex*. Ou bien : au Balagny. C'était entre apéro et ronéo. Les pionniers, avec leur chemises bleu roi et jaune, y avaient élu domicile, au côté des militants plus expérimentés. Le 14 juillet 1938, il avait fallu pousser quelques tables dehors pour danser. Félix n'était pas peu fier : il avait remporté haut la main le concours de danse, organisé par M. et Mme Courtex. Félix avait déjà le tango dans les hanches, embarquant sans ciller, la copine de Georges, Janine. Le couple avait parfaitement fonctionné. Guy était à son affaire. Il s'était débrouillé pour réunir suffisamment de lots, histoire de faire des heureux : un petit chien de faïence pour les vainqueurs du concours, des flasques de Ricard, une peluche pour les autres. Cette fois, dans l'arrière-salle, pas de réunion. Quelques coudes levés, simplement pour un bon mêlé-cass, ou un côtes-du-Rhône. Sur tous ces visages, il y avait comme une sorte de pic d'insouciance, avant la grande bascule vers l'inconnu. Il fallait bien se consoler du retour de bâton, avec Daladier qui s'en prenait aux quarante heures. On était au beau milieu du quartier des Épinettes, adossé à la rue de la Jonquière. En contre bas vers les portes de Saint-Ouen et Pouchet, on aurait dit que les rues s'étaient donné le mot sur l'ambiance : rue des Épinettes, rue Berzélius, rue Taïence, rue Baron et, juste en face, le boulevard Bessières. Des rues, comme des venelles, si proches les unes des autres que ces enfants ne risquaient certainement pas de se perdre de vue. Leur idéal était un peu confus et touchant. Ces familles ne s'étaient pas contentées de découvrir les congés payés : 1936 était en miettes. Mais les souvenirs de camping, les premières colonies de vacances leur tiraient encore de larges sourires. Ils avaient assisté, euphoriques, à la construction du château Baillet, pour les métallos... Vouzeron, dans le Cher. Et ça n'était pas rien tout de même, cet argent, donné par le syndicat, pour acheter la polyclinique, rue des Bleuets.

À peine sortis de l'enfance, Guy et ses copains avaient depuis longtemps chassé la peur de toute compétition loyale avec les flics, dans leur domaine qui était la rue. Il est frappant d'ailleurs de constater qu'aucun membre de la bande ne sera pris en flagrant délit. Tous furent arrêtés sur dénonciation. Pour l'opération du *Gaumont Palace*, c'était facile. Les tracts balancés dans le noir des actualités, et hop, on filait par-derrière, en évitant le *Wepler*, et, surtout, l'avenue de Clichy. La plupart du temps, Guy et ses copains piquaient par la rue Forest; vite! Après le virage, c'est déjà la rue Cavalotti, toujours saturée d'ombres, plus étroite, et dont les petits carreaux aux fenêtres des immeubles évoquent une certaine atmosphère de campagne en plein Paris. Au bout, planqués derrière les façades qui bordent l'avenue de Clichy, Guy, Georges et Mickey appuyaient à fond sur le pédalier, et il y avait brusquement du plaisir à dévaler la pente de la rue Moreau, plein pot vers le boulevard. Après, il n'y avait plus grand-chose à faire. Juste pousser vers la porte de Saint-Ouen, s'abandonner au pied des HBM et se donner rendez-vous, clando, *Chez Courtex*, pour faire le point. Ces gestes, ils ne manqueraient pas de les refaire, plus près de leur territoire.

Je sais bien qu'ils ont déboulé plusieurs fois dans la grande salle du *Métropole*, deux mille cinq cents places avec balcon. Le cinéma se trouvait au coin de l'avenue de Clichy et de la rue Championnet. Il a disparu, lui aussi. Mais le grand café qui longe le marché de la porte de Saint-Ouen est toujours debout. C'est peut-être de ce côté-ci qu'est venu le danger, pour Guy.

Mickey m'a raconté. Georges aussi. Une marchande pas contente de tout ce remue-ménage. D'abord, il faut bien passer au milieu du marché. En trombe. Juste pour voir s'il y a des flics. Frôler les attelages à chevaux qui livrent la glace. C'est vendredi. Ça sent la «crème chaude» et les pommes de terre fumantes chez l'épicier. Le brie va encore faire des heureux. Voitures à bras, à chevaux... Les caniveaux n'en peuvent plus. Marcadet-Balagny est fermé. Mais le 31 ramène du monde sur le marché de Saint-Ouen et la rue des Moines. Au troisième passage, il faut sortir de la musette le paquet de tracts, au chaud plaqué contre le ventre. Prêts à s'affaler sous le nez des marchandes de quatre-saisons. L'Auvergnat de *La Chope*, juste de l'autre côté, rue de la Jonquière, a même sorti les chaises, avec ce soleil. Il s'amuse un peu en regardant les papiers qui s'envolent dans le vent.

Dans une note qu'il rédige, quelques jours avant son arrestation, Guy fait le point sur ses activités, dans le XVIIe arrondissement de Paris : «Tous les soirs, chaque groupe part travailler dans son secteur respectif, et en moyenne trois à quatre cents papillons sont collés [...]. Les tracts, dès que nous les possédons, sont distribués à vélo, aux endroits les plus populeux, de la main à la main aux jeunes que nous connaissons, et enfin dans les HBM [...]. Il faut noter que dans le dernier lancement à vélo, le 6 octobre, trois de nos meilleurs camarades ont été arrêtés [...]. Ils sont maintenant à la Santé. Ce sont Planquette, Simon et Berselli [...]. Malgré les trois arrestations, le travail continue avec plus d'acharnement, mais beaucoup plus de vigilance [...].» On a retrouvé ce rapport, caché dans l'ourlet d'un rideau, chez un militant communiste de l'arrondissement, mort en déportation en Allemagne.

Octobre 1940. Quelques amitiés vont se défaire. Guy, Georges Abbachi et Henri Breux pensaient bien avoir fait le plus difficile en échappant à une patrouille allemande, boulevard Bessières, pendant l'été. Une soirée chaude, avec des rires de gorge, que l'on perçoit, derrière les fenêtres ouvertes. Tranquillement, le petit groupe s'était attaqué aux anciennes fortifications, le long de l'avenue. Plusieurs centaines de soldats allemands étaient casernés au début du boulevard, l'affaire avait très vite été repérée. Les trois jeunes gens avaient à peine eu le temps d'écrire à la craie : «Hitler... c'est la guerre», qu'une motocyclette les prenait en chasse. Je me suis souvent demandé si le quartier des Épinettes n'avait pas un lien avec les épines, qui viennent systématiquement piquer comme des respirations, l'essentiel des grandes artères qui en font la structure, les fondations. Impossible par exemple de compter tous ces passages, ces rues sans avenir, que l'on trouve dans ce village. Passage Moncey, passage Legendre, impasse Desygny... Les gars étaient donc vraiment chez eux, même en danger. Jamais perdus, sauf à l'arrêt dans une chambre d'hôtel, ou bien à la maison quand la police venait frapper à la porte! Ils avaient trouvé la rue de la Jonquière qui sauve le passant assez pressé, le fait obliquer vers les entrailles du village, le pont de chemin de fer, ses recoins, des rues impossibles à dominer. Ils avaient filé.

Dans quelques jours, quelques semaines, l'amorce d'une aventure à la marge, dangereuse, solidaire, exaltante, allait s'achever. Bien sûr, ils rendaient des comptes à une organisation, un parti, des structures lointaines qu'ils se contentaient d'idéaliser. Mais des comptes, qui a la prétention de n'avoir pas à en rendre au cours d'une existence? Leur trajectoire avait le mérite d'être coupante, glacée, sérieuse. Une connerie pouvait tenir lieu d'éternité. Guy était fils de cheminot et, par fidélité au père, à son éducation, à ces souvenirs de bals-musettes partagés par le plus grand nombre, il se jetait dans la gueule du loup, sans le moindre regret. Georges, dès l'âge de quatorze ans, avait démarré un travail d'ajusteur, à Pantin. Un père ouvrier couvreur sur les chantiers. Pour les congés et le domicile, c'était La Ruche, une organisation mutualiste, qui assurait le tout. Rien à perdre.

Henri n'avait jamais eu froid aux yeux. Pour l'hôtel, rue Berzélius, c'était une tante, vraiment une chic fille qui réglait la note. Depuis ses treize ans. Un père détruit par la Grande Guerre, une mère absente, bon, il avait bien fallu se débrouiller. Mickey se débrouillait toujours. Dans sa cellule de Fresnes, à peine arrivé en 1941, Henri avait commencé par offrir à son voisin quelques graines de tabac, glissées sous la cloison. Le mitard, ça n'était pas grand-chose à côté de tout ce qui l'attendait; évasions, tunnels creusés avec des boîtes de conserve. Compiègne, Neuengamme, le typhus...

Le 13 octobre 1940 est un dimanche. Guy a prévu de rejoindre quelques filles à Bondy, en banlieue. Un copain des Épinettes, René, doit l'accompagner à cette partie de campagne. Dix minutes déjà passées à attendre sous la grande horloge de la gare de l'Est. À la fin de l'hiver 1916, c'est au bout de l'un de ces quais, que Juliette était venue chercher son homme, Prosper, usé par le front, la capote fatiguée par les combats. Des chagrins et des retrouvailles, des départs aussi vers l'inconnu des tranchées, ces gueules cassées à la descente du train et tous ces poumons en l'air, ces vies foutues, longues veilles maintenant à attendre qu'on s'occupe de vous, les anciens de la boucherie... Toutes ces choses s'étaient donné rendez-vous là, dans le souvenir de la Grande Guerre qu'on pensait la dernière.

Gare de l'Est. Guy n'a pas vu les deux policiers en civil, dans le métro. Pas davantage, quand il s'approche de l'un des guichets au moment où

René le rejoint enfin. Pourquoi, mon Dieu, le jeune homme a-t-il bourré ses poches de ce poème qu'il veut à tout prix revendre sur le marché de Saint-Ouen? Les sous pourraient servir à ses trois copains interpellés quelques jours plus tôt. Guy l'a écrit à la va-vite, un peu excité, pris dans cette vague d'arrestations qui s'accélère courant octobre. Il l'a écrit sur ce qui lui reste de ses cahiers de Carnot, avec lignes et interlignes : «Parmi ceux qui sont en prison/Se trouvent nos trois camarades/Berselli, Planquette et Simon/Qui vont passer des jours maussades/Vous êtes tous trois enfermés/Mais patience prenez courage/Vous serez bientôt libérés/Par tous vos frères d'esclavage [...]/Ils se sont sacrifiés pour nous/Par leur action libératrice/Alors donnez-leur quelques sous/C'est le moindre des sacrifices.»

— Monsieur Môquet...?

— Moi...?

Les cris pour alerter la foule faisaient déjà partie d'un décor, à reconstituer. Guy avait beau répéter qu'il n'avait rien à se reprocher et qu'on devait le laisser tranquille, la foule abandonnait l'enfant aux policiers. Le raffut dura quelques minutes. René pouvait partir. Dans le fourgon qui le conduisait à la police judiciaire, les policiers avaient déjà pris soin de récupérer le poème, après la fouille au corps. Une lettre était donc arrivée sur le bureau de la PJ, qui dénonçait ses distributions de tracts sur les marchés et dans les cinémas. Voisine ou marchande de quatre-saisons, et après…? La police française n'avait eu aucune difficulté à mettre en place une filature, depuis le haut de la rue Baron. Jusqu'au départ de Juliette Môquet, l'appartement serait d'ailleurs régulièrement surveillé.

Les gifles dans la figure, les coups, la chambre froide, ce serait pour plus tard, au dépôt, quand les policiers auront compris que la jeunesse ne pouvait être qu'un viatique au chantage. D'une certaine façon, Guy était pleinement satisfait de la tournure des événements : puisqu'il avait tenu à prendre la place de son père, il était logique de lui rester fidèle jusque dans la prison. Simplement, la rupture avec l'amour et la famille arrivait en trombe. Il n'y avait plus de lettres d'excuse à envoyer au proviseur de Carnot. Guy s'effaçait. Sa trace ne reviendrait que plus tard, sur les murs de la rue Viète ou du boulevard Malesherbes, des plaintes à la craie, poussées par quelques camarades de classe. Juliette, la maman de tous les pépins, silencieuse quand la police viendra lui chercher des ennuis, se trompait par amour, écrivant le 13 juillet 1940, à son compagnon emprisonné : «Cher petit, c'est l'espoir de jours meilleurs qui fait supporter tous les chagrins de la séparation qui nous est imposée […].»

Juliette avait donc tort. Il n'y aurait plus jamais de jours meilleurs à attendre. Un jeune homme de quinze ans hissait les voiles vers une fin tragique et programmée par les autorités françaises. Pour avoir été si courageux, tapant du pied dans sa cellule à Clairvaux, un gendarme sort du rang et le félicite, quelques instants avant son départ pour le camp de Châteaubriant qu'il n'aurait pourtant jamais dû rejoindre. Dans le dernier colis envoyé par Juliette à la centrale de Clairvaux, un stylo bleu, le 26 avril 1946, pour ses dix-sept ans. Maintenant, il y aurait des lettres, des dizaines de lettres. Chaque jour un message. Une carte. Trois feuillets. Une dent qui fait souffrir. Un pantalon à recoudre. Marie est vraiment gentille d'avoir réparé mon col roulé ; je suis en demi-finale du tournoi de ping-pong. Du tabac, si cela est possible, et surtout mon paquet de Celtiques ! Des baisers à Odette, du courage à Serge, patience, les jours meilleurs vont revenir, et nous serons ensemble. Un an, déjà, que je ne suis plus revenu à la maison…

Une centaine de lettres rythment les derniers jours de Guy Môquet. Découvrant cette correspondance, soixante ans après ces bouteilles à la mer, il me semble qu'apparaît en filigrane une certaine lenteur, ces fantômes dont seuls nos parents et grand-parents étaient encore porteurs. On s'écrivait. Parfois, une pièce de cinq francs était glissée dans une enveloppe. Si je pense à toi, je te l'écris. Et si la lettre attendue avec fébrilité n'était pas au rendez-vous du jour, elle le serait forcément le lendemain, ou plus tard, qu'importe. Guy, Juliette et, dans une moindre mesure, Prosper, isolé, coupé du monde à Alger, faisaient l'étrange découverte de l'espérance des mots. D'une certaine façon, le dernier cadeau de Juliette à son fils, en partance vers le camp de sa mort, avait été le moyen de l'exprimer : un stylo. Juliette, malgré son chagrin, ne cessera jamais de commenter le dernier message envoyé par son fils, le 22 octobre 1941, et Guy poussera la révolte jusqu'à corriger dans la marge ce qui lui paraissait essentiel de laisser à la postérité! Les mots, les lettres et toutes ces interrogations atroces de Juliette, après la mort de son fils, nous embarquent vers une destination qu'il faudra se résoudre à considérer comme poétique et digne d'être reçue en plein cœur : «Tout est triste désormais. Pauvre Guy, nous ne l'avons pas choyé assez. Pourquoi l'avoir forcé à étudier, il s'y donnait mollement. Comme il avait plus raison que nous […]. Quand on lui parlait de demain, il se moquait; comme il avait raison […].»

Je me souviens qu'entre deux cours, à la terrasse du *Wepler*, été 1976 – il faisait si chaud –, notre jeu préféré, découvrant les livres, prenait toujours la forme de cette question : lequel de tous ces écrivains pourrait bien être notre ami? Souvent ils étaient morts depuis longtemps; mais c'était peut-être notre manière un peu naïve de démontrer toute l'attraction des livres, ou des lettres, ces mots lâchés, cette gravitation capable de nous donner le vertige, le temps de classer les auteurs. Je vivais où avait vécu Guy, ce voyou merveilleux. Nous avions le souci de ne jamais prendre la chose écrite à la légère. Guy ou les poètes les plus déterminés faisaient dans mon esprit le même voyage. La liberté ou la mort. «Dix sept ans et demi, ma vie a été courte, je n'ai aucun regret si ce n'est de vous quitter tous. Je vais mourir avec Tintin, Michels. Maman, ce que je te demande, ce que je veux que tu me promettes, c'est d'être courageuse et de surmonter ta peine […].» Prenant le temps de vivre et de lire, nous savions bien qu'aucun quidam ne viendrait nous klaxonner sur notre chaise. C'était septembre. Je retrouvais Jules-Ferry, la place de Clichy, après un nouveau passage dans la carrière. Tous ces risques, tous ces secrets et cette énergie de la victoire contre les salauds, abandonnée dans la terre rouge de la sablière. Toutes ces aventures, ces soirées à faire trembler les familles, les cinémas, les marchés ; il avait mouillé la chemise, Guy, pour que nous puissions l'ouvrir, notre gueule. Qui s'en souviendrait ?

N'y tenant plus, prenant cette fille brune sur l'une des tombes à concession perpétuelle du cimetière de Montmartre, je lui avais demandé après le plaisir, simplement, si elle se souvenait d'avoir entendu parler de ce jeune homme au regard clair, Guy Môquet, notre âge à l'époque, c'est lui, oui, qui fendait la foule et promenait à deux pas d'ici, sa petite ronéo, ses tracts et ses beaux yeux sur les copines.

– Dis, tu connais...? Il est au Père-Lachaise, avec Timbaud, qui est mort avec lui.

– Moi, je connais que la tombe de Jim Morrison, et le dernier trente-trois tours de Zappa!

Je me rappelle avoir écrasé ses deux gros seins lourds contre mon ventre. Ses cheveux, j'aimais bien les sentir rôder autour de mon visage. On baisait là, dans la fraîcheur des tombes, au plus près des corps ensevelis. C'était son idée à elle Je n'avais pas dit non. Il faisait si chaud à Paris, pendant l'été 1976. On baisait libres, les terrasses étaient pleines de gens très gentils, j'avais dix-sept ans. «Dix-sept ans et demi, ma vie a été si courte [...]. Certes, j'aurais voulu vivre, mais ce que je souhaite de tout mon cœur, c'est que ma mort serve à quelque chose [...].» Cette fille était vraiment chic et pas compliquée en amour, mais j'avais dû l'ennuyer pour de bon avec mes histoires!

Enfin, à la question que mes amis ne manque-raient pas de soulever, je répondais toujours par R. D., Robert Desnos. Comme Guy, ce poète me semblait être bien autre chose qu'un simple compagnon des surréalistes. Il s'était engagé. Son écriture était inséparable de la Résistance. Il avait traversé la ville. Je crois bien qu'il devait être gentil. Toujours, une photo de Desnos est comme une apparition. On dirait qu'il dort. Arrêté en 1944, trop faible et fragile pour supporter les privations imposées par les nazis, Desnos meurt en déportation à Terezin. On le retrouve grâce à ses lunettes. Et combien de temps encore, aurons-nous la décence de nous souvenir des mots de Desnos, ces jonques de rêves que l'adolescent un peu halluciné nous avait envoyées avant de mourir : «Jamais d'autre que toi en dépit des étoiles et des solitudes/En dépit des mutilations d'arbre à la tombée de la nuit/Jamais d'autre que toi ne poursuivra son chemin qui est le mien/Plus tu t'éloignes et plus ton ombre s'agrandit/Jamais d'autre que toi ne saluera la mer à l'aube quand, fatigué d'errer, moi sorti des forêts ténébreuses/Et des buissons d'orties, je marcherai vers l'écume/Jamais d'autre que toi ne posera sa main sur mon front et mes yeux/Jamais d'autre que toi et je nie le mensonge et l'infidélité […].»

Les copains seront arrêtés plus tard, deux ou trois jours après la manifestation du 14 juillet 1941. Avec ce dimanche de la gare de l'Est, le 13 octobre, c'est une autre histoire qui démarre du côté de l'amitié. La part d'ombre s'impose vraiment comme une donnée indispensable. Le bricolage est incompatible avec ce genre d'occupant. Cela n'empêchera pas les coups durs. Ni le courage de ces jeunes adultes qui n'avaient pas dix-huit ans et dont les souffrances et la solitude ne faisaient que commencer. Avant d'être arrêtés, Georges et Mickey, vont assurer la relève. À la loyale. Mais plus jamais, ils ne reverront Guy. Ils avaient repris l'habitude du triangle. Trois résistants se connaissaient. Un seul avait la liaison avec le triangle supérieur. Georges Abbachi devint le responsable des Bataillons de la jeunesse du XVIIe arrondissement. Premières armes du Front national de la jeunesse.

Georges et Henri. C'étaient les copains des premiers jours; avec Henri surtout, la découverte des filles, dans l'herbe des anciennes fortifications de Clichy. Le dimanche aussi, à Ozoir. Guy Môquet et Henri Breux, c'est une amitié qui vous donne le tournis, un peu à la marge. On hésite parfois entre le bien et le mal, au point de se demander si cela vaut vraiment la peine de se faire du souci pour le lendemain, pour les études, du moment qu'on est bien, là, à profiter de la brise qui matraque gentiment nos épaules. 1937 : leurs visages sont étonnants de fraîcheur sur une photo; Môquet, on dirait l'Aragon des jeunes années nantaises, traversé par l'aventure des rues; Breux, je vois Crevel, le revolver toujours prêt à lever le chien pour solder les comptes. Georges et Henri font la claque, et bien d'autres choses encore dans la manifestation du 14 juillet, sur les grands boulevards. Rassemble ment au métro Bonne-Nouvelle. Des drapeaux de nombreuses banderoles soigneusement camouflées. Direction Strasbourg-Saint-Denis. La rosace tricolore à la boutonnière. Et en avant. De l'allure, le cortège! Premier barrage de police renversé. Plus loin, c'est l'affrontement avec les Allemands qui ouvrent le feu. Des copains qu'on voit tomber. La course encore. Le lendemain nouvelle distribution de tracts, les flics tirent, il faut battre en retraite. Georges n'a pas eu de chance. L'un de ses copains, garçon un peu distrait qui venait du XXᵉ, est interrogé par le célèbre commissaire David, au 36, quai des Orfèvres. Tellement tabassé, le copain, qu'il finit par indiquer les adresses! Facile, les policiers français viendront chercher Georges sur un chantier à Paris, rue Boissy-d'Anglas. Le dépôt, la Conciergerie, Fresnes. Une cellule de quatre mètres sur trois. À cinq ou six détenus, quand toutes les paillasses étaient par terre, il fallait bien se marcher les uns sur les autres. Bientôt, ce serait la centrale du silence : Poissy. Dès le 1ᵉʳ septembre 1941, les cours spéciales se mettent en place Elles sont composées de magistrats collaborateurs qui font rouler les premières têtes de résistants, à huis clos.

C'est à Fresnes, au parloir, vers neuf heures du matin, le 24 octobre, que Georges devine le pépin en apercevant sa mère, effondrée, en larmes : Guy vient d'être fusillé par les Allemands, à Châteaubriant. C'est donc ça la guerre...?

À ce moment, Georges oublie sa passion pour l'aviation, ses lectures de Saint-Ex, la traversée de l'Atlantique par Costes et Bellonte. Georges veut tout oublier. Les loopings de Dorat, ses frissons au salon, Jeanine, les bals, c'est trop injuste. Guy. Ensemble, on avait traversé tout Saint-Ouen pour rejoindre l'île des Vannes Il fallait juste passer le pont, et après, il y avait largement de quoi taper dans la balle. Georges ne parvient même plus à distinguer le malheur dans les yeux de sa mère venue le consoler. Elle revient de chez Juliette. Georges, c'est le foot qu'il voit, ou bien les Allemands au cul en side, boulevard Bessières et Guy, jouant de l'harmonica, les bagarres, rue des Moines, avec les vendeurs du *Flambeau*, la feuille de Doriot, les collectes, le lait pour les enfants espagnols, mon certificat d'études, et ta main, Guy, dans celle d'Odette, qui avait pris le train à Bagneux, pour venir te voir. Une enfance s'écroule.

À Poissy, se taire pour de bon ne serait pas l'exercice le plus douloureux pour Georges. Il avait été affecté à l'atelier des filets. Des tenues de camouflage destinées à l'armée allemande. Trois par semaine, sinon, la punition : le mitard, une pièce en sous-sol, sans fenêtre sans lit sans

101

tinette, sans lumière. Une seule gamelle de soupe, tous les quatre jours, et un bout de pain sec, chaque matin. À peu de chose près, Mickey aura droit à la même pitance.

Arrêté dans sa petite chambre d'hôtel, rue Berzélius, quelques heures après le défilé du 14 juillet, Henri fera ses douze heures à l'atelier de la centrale ; balai et brosse dans tous les recoins. Pas question bien évidemment de libérer ces gars-là. Peine purgée, Henri avait pris la direction du camp des Tourelles, près du boulevard Mortier. La résistance y était plus fragile car les politiques partageaient leurs cellules avec des droits-communs. Avant Compiègne et le départ en train vers le camp de concentration de Neuengamme, Mickey participe à l'une des évasions collectives les plus spectaculaires de cette période : Voves, à une vingtaine de kilomètres de Chartres. Les champs de la Beauce. En 1942, le camp de Voves ne tolère plus aucune visite. L'évasion d'une dizaine de détenus déguisés en gendarmes, déclenche la colère des forces d'occupation.

Pendant plus de deux ans, Henri participe à la construction d'un souterrain de cent quarante-huit mètres de long. Jour et nuit. Les équipes se relaient. Le souterrain part de la baraque des douches, traverse le terrain de sport, passe sous les barbelés. Il débouche sur un petit bois, en lisière du camp. À plat ventre, à genoux, dans la crainte constante d'être découverts, ils creusent. Un boyau de soixante-dix centimètres pour le passage; près de deux mètres de profondeur. Jour et nuit, dans la clandestinité du camp. Pour les détenus dont le départ était envisagé, il avait même fallu trouver de bonnes chaussures, une boussole, des cartes, des papiers d'identité, un premier lieu de refuge aussi, près du camp. Le 6 mai 1944, quarante-deux détenus, en file indienne, apprivoisent les quelque cent cinquante mètres de souterrain, s'échappant dans la nuit. Henri avait préparé l'évasion. Avec plusieurs centaines d'autres prisonniers, il va monter dans les wagons. Quelques jours à Compiègne. Puis Neuengamme, au nord de l'Allemagne. Six cents internés. Trente déportés vont revenir.

Au bout d'une vie qui avait juré d'être brève, mouvementée, haletante, ces hommes et ces femmes sont capables de découper dans leurs souvenirs, un moment, une seconde – le bonheur ou la terreur –, à croire que c'était hier. Je voulais voir et revoir encore celui que Guy emmenait si souvent, avec les copines, dans l'herbe un peu folle de la porte de Saint-Ouen. Le fils Môquet aurait été fier de Mickey. À Voves, pour espérer sortir derrière le mirador, Henri avait creusé sérieux, avec des boîtes en fer. Pendant douze mois avec les copains.

Et à mesure que je retrouvais les derniers témoins de Châteaubriant, deux ou trois copains de Guy, il me tardait de savoir si l'histoire avait récompensé, vraiment, ces jeunes types au culot insensé, terminant la partie, au fond des anciens bois de banlieue, oubliés. Henri avait quelques souvenirs à nous laisser. Dans cette guerre, il avait beaucoup pleuré quand un copain de cellule, à Poissy, lui avait passé le mot : Guy, fusillé...

L'épouvante, dans le fait de perdre, jeune, un vrai bon copain, c'est sans doute qu'il faut ouvrir brutalement la boîte aux souvenirs. À dix-huit ans, on n'est pas habitué. Tout ce qu'on a partagé est si proche, qu'il faudrait déjà y renoncer?

Henri était encore secoué. Pour les virages à vélo, la musette sur le ventre, ou bien la rigolade autour des préservatifs qu'on sortait du porte-feuille, pour crâner. Mickey avait deviné l'avenir. Guy, ça ne serait jamais un souvenir comme les autres, une simple histoire de commémoration, quelques larmes qu'on essuie avec le respect qu'on doit aux morts tombés pour la France. Plus encore qu'un nom gravé sur une plaque du Panthéon, quelques photos ayant appartenu au jeune défunt, exposées dans un couloir de métro. Guy, c'était une partie de sa vie aussi qui s'en allait.

Le visage très carré de cet homme de soixante-dix-sept ans s'est légèrement affaissé. C'est drôle comme sa colère est intacte. On dirait la guerre.

Henri ne cavale plus le sac en bandoulière. Renversé sur son fauteuil, c'est à la demande qu'un appareil, placé juste derrière son dos, près de la fenêtre, lui donne un peu d'oxygène et facilite ainsi sa respiration! Il y a sur le buffet un ou deux manèges en bois, que l'on trouve parfois dans des brocantes. Au mur, le tableau que j'aperçois pourrait être le couvercle d'une boîte de chocolats ou de biscuits. Stains. Rue Verlaine. Souvent, les noms de poètes ont pour mission de vous consoler du sordide ou de la violence d'un lieu. Dans la salle de séjour de la HLM, Henri, toujours gouailleur, me donne une coupure de presse. L'article date du vendredi 8 décembre 1995. Il précise au lecteur que Jean Matteoli, nommé par Alain Juppé médiateur dans le conflit avec les salariés de la SNCF, est un gaulliste de gauche, qu'il s'est illustré très jeune, en s'engageant dans la résistance au côté du chanoine Kir. Il a été plusieurs fois déporté.

– Vous voyez, il a fallu cette nomination pour qu'on me donne la Légion d'honneur. Y a pas de raison. J'vois pas pourquoi des joueurs de foot auraient la Légion d'honneur, et pas moi, non...?

Novembre 1999. Je me souviens que Guy, Henri, Georges, avaient choisi d'être insolents avec les autorités d'occupation. Jamais ils n'ont fait de différence avec l'arrivée des troupes allemandes à Paris, pendant l'été 1940. Tout cela leur a d'ailleurs joué des tours, quelques mois plus tard, quand les listes des RG ont permis l'arrestation de cinq cents militants, la plupart en région parisienne. Et c'est ici, dans cet immeuble minable, au nord de Paris, lové dans les boubous africains et la violence du chômage, qu'il termine sa vie, Henri. Je me souviens aussi que ces fils de plombier, couvreur, cheminot évoquaient toujours ce temps-là comme celui d'un long moment passé dans un village. On allait à Clignancourt, aux Batignolles, aux Épinettes. Ruinés, les anciens riches finissaient par quitter le confort de Monceau, ses larges avenues, échouant là, au milieu du bruit et de la fureur du petit peuple. À son tour, il avait été chassé. Et ce qu'on appelait, au début des années cinquante, la banlieue rouge m'apparaissait désormais comme le dernier appendice d'une étrange résistance. Quelques maires les avaient accueillis en héros. On les gardait au chaud, dans ce nouveau pays dont les frontières se levaient toujours au nord. Henri m'avait donc donné rendez-vous dans cet appartement du clos Saint-Lazare, à Stains. Ça n'était pas cette immense désolation de terrains vagues qui me faisait peur, par la fenêtre du taxi. À Moscou, comme à Berlin, Craiova ou Bucarest, j'ai aimé ces zones inquiétantes et grises d'où, bien souvent, émergent des jeunes filles en fleur. Mais c'est un grand mystère, qu'à mesure que nous progressons vers le nord de Paris, certaines villes ont été conservées, comme intactes dans leur no man's land. La peur, certainement, de perdre ceux qui leur avaient donné le pouvoir a poussé les maires des cités rouges à ne rien faire, ou si peu, pour distraire les habitants d'une atroce architecture. Quelques maisons basses, rescapées d'avant la crise des années trente. Un bout de jardin pour se rappeler qu'avant la guerre, ici, c'était encore un peu la campagne. Maintenant, ces petites bicoques vont disparaître. À quelques centaines de mètres, une grande cité HLM que je confonds tout d'abord avec un hôpital. Rue Verlaine. On me précise que les taxis ne viennent plus ici. Et pas davantage les bus. Trop dangereux. Le soir, on est loin d'une belle chevauchée, rue des Moines ou place de Clichy. Henri se contente d'observer derrière sa fenêtre quelques bandes de jeunes Africains qui se donnent rendez-vous et cherchent la mort à grands coups de batte de base-ball.

Henri me raccompagne, désolé que l'ascenseur, comme d'habitude, ne fonctionne pas. Les boîtes aux lettres sont en morceaux; le courrier n'arrive que très rarement ici, il faut s'y faire. La rue Berzélius n'est plus qu'un lointain souvenir de courage.

– Dommage que Guy ne soit plus là, il vous en raconterait!

Sa poignée de main est chaleureuse, mais l'œil demeure méfiant :

— Ne perdez pas les papiers... Membre du Front national de la Résistance... Légion d'honneur... Des trucs pareils, quand on les perd, pour les retrouver...

À partir du 13 octobre 1940, jour de l'arrestation de son fils, gare de l'Est, Juliette Môquet a souvent guetté l'improbable retour de son enfant. Il reviendra Guy, rue Baron, au 34, après deux jours passés au dépôt. Une heure à peine, menotté. Mardi 15 octobre, bientôt la Santé. Tout juste le temps de monter et d'apercevoir la concierge, derrière son rideau. Le frangin, Serge, qui pleure et s'enferme dans la chambre.

— Dites-lui de parler, madame Môquet, franchement, moi aussi j'ai des gosses, c'est pas tous les jours facile, avait lancé le flic.

Guy avait ramassé une couverture, quelques vêtements chauds, et ce pull-over, oui, gris, et déjà ouvert sur le côté. Cette nonchalance tricotée par sa mère l'avait emballé. C'est un lainage qu'un jour il porterait peut-être sous la mitraille. Un flottant aussi, on ne sait jamais, si l'occasion était belle de courir. Les flics avaient retourné le petit deux pièces du député. Et les toilettes. Ils n'avaient pas trouvé, peut-être trop pressés, les tracts planqués derrière la chasse

108

d'eau. En repartant vers le dépôt, Guy, comme s'il avait été depuis toujours au fond de la classe – pas besoin d'être devant –, souriait de ce sourire qui fixe la frontière entre celui qui sait où il va et le voisin qui titube. Déjà, il marchait droit. C'était pas la peine de se plaindre parce qu'une ménagère un peu bavarde l'avait vu de ses yeux balancer son paquet de tracts à la figure des passants, sur le marché Pajol. Disons que les choses sérieuses arrivaient plus tôt que prévu. D'un seul coup, il arrêterait de chuchoter les pots de peinture et les papillons à coller sur les palissades. Il faudra se passer des copains, Georges, Henri, et Jean. Le bon temps de 1940 était passé. Ce qui les attendait était bien autre chose que le coup de poing avec les gosses de riches, avenue des Ternes. Bien autre chose que de cracher au visage des filles un peu coincées de Villiers.

À deux pas du Sacré-Cœur, une jeunesse échangeait ainsi ses fugues d'adolescents contre des nuits sous les étoiles à mettre de la craie sur les murs. Pas toujours spectaculaire. Mais cela ne tarderait pas à le devenir. Bientôt, au métro Barbès, l'aspirant Moser serait abattu, au petit matin par un type plein de sang-froid. Fabien. Bientôt, il suffira de rire au passage d'un soldat allemand, pour mériter la mort.

Guy Môquet, né avec le printemps, le 26 avril 1924, n'aurait jamais dû rejoindre le camp de

Choisel, à Châteaubriant. Le tribunal de première instance du département de la Seine confirme bien le mandat de dépôt. «Môquet, Guy, seize ans, inculpé d'infraction au décret du vingt-six septembre mil neuf cent trente-neuf.» Le jeune homme découvre la prison de Fresnes, le jeudi 24 octobre, à midi. Cellule 409. Guy note les jours passés dans cette cellule et s'étonne surtout que l'instruction soit reportée à deux reprises.

À son père, sur une carte interzone : «Courage, confiance [...] ne t'en fais pas petit Papa, cette vie tire à sa fin...»!

Plus tard, Guy n'hésitera pas à demander une couverture supplémentaire ou des chaussettes bien chaudes à Juliette, quand il rejoindra ce «froid de loup» du camp de Châteaubriant.

Cellule 409 : on se serre les uns contre les autres pour lutter contre les courants d'air. Mais Guy, vraiment, devait être un garçon dangereux! À Fresnes, l'instruction est lente; il perd patience, se console avec le calendrier, et le chiffre 1 qu'il note devant chaque jour de la semaine.

Le 24 janvier 1941 pourrait être joyeux, léger, détendu pour la famille Môquet : le directeur des prisons de Fresnes est en effet informé que le «jeune Môquet (Guy), seize ans, par jugement du 23 janvier 1941, a été remis à sa mère en liberté surveillée». Une puce, colonne de droite, précise que rien ne s'oppose donc à l'exécution immédiate de cette décision. L'enfant devra être remis à sa mère. Juliette passe une bonne partie de son temps entre le greffe de Fresnes et les bureaux de la préfecture. Un panier-repas sur le porte-bagages, comme pour un départ en vacances, elle file vers Bourg-la-Reine, le parc de Sceaux, Antony. La prison de Fresnes est plantée là, au milieu des jardins ouvriers d'une banlieue qu'on visite comme une campagne assez lointaine. Le 24 janvier, elle croise son fils dans l'un des couloirs, accompagné d'un inspecteur. Pourquoi ce nouveau départ? Pourquoi ce retour au dépôt, le transfert vers la Santé, puis Clairvaux, Château-briant enfin?

«L'enfant devra donc être remis à sa mère», avait noté le parquet. Guy est fou de rage. On va le calmer. Mais bien avant la cellule froide de la Santé, il écrit au procureur, comme un dernier baroud avant le départ.

«Monsieur le Procureur,

«J'ai l'honneur de porter à votre connaissance, vu la situation qui m'est faite, les choses suivantes : je suis âgé de seize ans. Inculpé d'infraction au décret du 26-9-39, j'ai été acquitté par la 15e chambre correctionnelle et mis en liberté surveillée le 23 janvier 1941. Depuis cette date, sans aucun motif, je suis gardé au dépôt jusqu'au lundi 10 février, puis à la Santé maintenant. Cette incarcération m'étonne profondément. C'est pourquoi, Monsieur le Procureur, je me permets de protester énergiquement contre

111

ces actes illégaux et de vous demander d'étudier cette chose, afin qu'un terme immédiat et définitif soit mis à cette situation. Comptant sur une réponse favorable [...].»

La réponse n'est jamais arrivée. Guy ne se contentera pas de ce silence et fera beaucoup de bruit avec ses pieds et sa gamelle; envoyé au cachot, dans les étages inférieurs de la prison, il n'entend pas les copains marteler son nom pendant les promenades : «Rendez-nous notre gosse, rendez-nous notre gosse...»

Plus de colis, et pas davantage de vivres – ne serait-ce qu'un pain –, non, la mère pourrait y cacher quelque chose. Cette fois, c'est toute son adolescence qui prenait le parti de s'emballer. Le moteur n'allait plus tarder à tourner à plein régime. Mais la carrosserie ne cessera jamais de demeurer fragile, malgré les apparences. Guy a dans ses poches d'anciennes recommandations du père qu'il a remplacé. «Tout ton savoir, lui écrit Prosper, qu'il ne serve jamais ton ambition personnelle, ton orgueil, un égoïsme quelconque; mais au contraire, mets-le au service de la collectivité encore quelque peu désœuvrée, au service de l'humanité entière pour que triomphe la liberté, le droit et la justice [...]. Travailler, travailler toujours plus, toi qui en as toutes les possibilités, toi, à l'intelligence si développée, à l'esprit si ouvert, si subtil; le travail, sans lequel, sache-le bien, on ne peut aboutir à rien [...].»

Le fils de cheminot était d'accord, mais il faut bien tout de même que jeunesse s'épanouisse, et qu'y faire quand on traîne sa belle petite gueule sur les boulevards, ce n'est pas un crime de plonger dans les amourettes, non…?

Guy avait fait des promesses grandiloquentes. Pas toujours tenues. À la fin, il s'était un peu éloigné du grec et du latin. En cachette du député du XVIIe arrondissement, un confrère avait pris la peine d'écrire à l'enfant, quelques jours avant son arrestation, qu'il était à l'âge où l'on croit pouvoir s'émanciper de toute contrainte. Et qu'il devait se méfier de tant de facilités ; quand on est devenu un homme, on s'aperçoit qu'il est trop tard pour acquérir toutes ces connaissances, et l'on regrette d'avoir dilapidé ses années de jeunesse… Un comble. Au bagne de Maison-Carrée, près d'Alger, les Waldeck-Rochet, Croizat, Barrel, Berlioz, s'y étaient mis pour lui remonter un peu les bretelles!

Une fois la guerre terminée, Paris libéré, Juliette, qu'un accident de voiture sauvera d'une folie programmée, écrira sur un coin de table, seule, revenant dans cet appartement déserté du 34, rue Baron, qu'on avait sans doute embêté le jeune homme avec ces études. De sa prison, à Clairvaux, jusqu'à cette table de la baraque 6, à Châteaubriant, le 22 octobre, Guy se doit d'être beaucoup plus qu'à la hauteur. Parfait dans

113

l'épreuve, puisqu'il ne l'avait pas été du temps de Carnot. Tout à la fin pourtant, quand la voix est plus sèche, les yeux brillants, c'est l'amour qui l'aidera à mourir. Et ce goût final du secret, un cadeau qui échappe à la règle, une dernière offrande faite à celle que le corps a désirée malgré les barbelés, Odette...

Que sont-elles devenues, ces amours enfantines. ? Quel visage, quel jupe, quel corsage se cachent dans le pli d'un papier que le temps n'a pas abîmé, ni cette écriture bleue pour dire sans doute le *farniente* des vacances...?

«Saint-Georges, le 18 juillet 41. Mon cher Guy tout petit, Je suis en vacances en ce lieu merveilleux où je voudrais pouvoir me dire, je ne suis pas bonne en tennis, mais Guy me l'apprendra. Hélas, il n'en est pas ainsi. Des méchants t'ont séparé de ceux que tu aimais et souvent je pense à toi, je rêve que nous nous baignons ensemble, mais ce n'est que rêve, et la réalité est bien triste. Certes, tu sais que tu as l'amour de tous ceux que tu regrettes, mais c'est pénible à notre âge d'être séparé de ceux que nous aimons [...]. Mais il ne faut pas que je te donne le cafard, ni à moi non plus. Je veux être une grande fille pour quand vous reviendrez. Je redouble ma classe malheureusement à cause de mon anglais et de mes mathématiques. Au revoir mon cher Guy, Je t'aime de tout mon cœur, mon Guy tout petit... Baisers.» L'enveloppe est rose et suffisamment épaisse pour faire un long voyage. Éliane l'a postée vers dix-neuf heures, ce 18 juillet 1941. Au bureau de poste de Saint-Georges, dans la Vienne. Ses vacances sont belles et chaudes. Endormeuses vacances. Le sommeil et une certaine flemme adolescente font très bon ménage avec toutes ces fenêtres ouvertes sur la campagne. Mais quand reviendra-t-il, ce Guy? Nos virées à vélo, ta main sur mon épaule à passer du temps si tendrement ensemble. Il faudra faire la queue, au soleil, pour obtenir un peu de tabac, et te l'envoyer, là-bas, à Châteaubriant. Et si tu savais Guy comme elle pense à toi, à ce grand frère chéri, à ce mois de novembre qui promet d'être long et triste. Comme il faudra récupérer le temps perdu. Comme il faudra s'amuser et s'aimer. Guy, c'est son petit chou à la crème. Un jour, elle lui envoie ces deux vers : «"Je pense à vous quand le soleil se lève/J'y pense quand son cours s'achève." Ça n'est pas de moi, lui dit-elle, je le regrette, c'est de Lamartine.»

Le temps, à peine, de recevoir une ou deux cartes pour ses dix-sept ans, le 26 avril 1941, et Guy monte dans le car qui le conduit vers Châteaubriant. Il part avec ses copains Rino et Roger, récupérés à Clairvaux. Cette jeunesse fera le chemin jusqu'au bout. Et même si la vie était assez dure dans le cloître de Clairvaux, sombre derrière les grillages, ils ont eu quelques bons

115

fous rires! Pour le sport, il ne fallait pas compter sur le foot, le volley ou la course... Guy joue à la pelote basque. Ou à ce qu'il en reste. En costume de bure. Une petite balle frappée contre le mur qui jouxte la promenade.

La plupart des détenus ont pris le car; pour d'autres, cela a pu être le train. À pied ensuite, menottés, vers le camp de Choisel.

En arrivant au camp de Châteaubriant, fait de baraques en bois, les détenus découvrent derrière les barbelés autre chose, à la volée : le soleil si chaud de juillet, et cette lumière dans les champs, le pays des landes qu'on avait oublié à la Santé ou à Clairvaux. On pourrait presque toucher ces bons pommiers à cidre. Ici, le nez collé au chemin de Fercé, dès avril 1941, il faut compter six cents détenus environ, dont cent soixante Parisiens. On verra qu'une certaine légèreté de vie fut possible à Châteaubriant, à travers toute une organisation interne, dont la direction était assurée, pour l'essentiel, par quatre hommes : Charles Michels, député du XVe arrondissement de Paris, ancien secrétaire du syndicat des cuirs et peaux; Jean-Pierre Timbaud, l'homme à la pipe et à la cotte, Fernand Grenier, qui s'évade au cours de l'été et rejoint Londres, le général de Gaulle; Jean Poulmarch enfin, d'Ivry.

C'est Timbaud, Tintin, qui endort les plus jeunes avec ses histoires. On dit de lui qu'il est le maire de Châteaubriant. Jusqu'à son départ vers

116

la baraque réservée aux otages, il fait le lien en effet avec la direction du camp, le capitaine Leclercq, puis le sous-lieutenant Touya. Un poste de radio clandestin, planqué à l'infirmerie, permet aux prisonniers d'avoir un contact avec l'extérieur.

Le 16 mai 1941, Guy a rejoint la baraque des jeunes. Sa carrée, c'est la 10; son premier repas – deux œufs durs et quelques nouilles –, Guy le prend sur le pouce, dehors, il fait si bon devant la baraque, histoire de faire prendre l'air à cette joue qui lui fait mal depuis quelques jours : une dent de sagesse! Heureusement, pas trop de fièvre, mais le voyage en car a été si long, et il y a tout de même quelque chose de bouleversant, à se retrouver là, entre copains du Nord, de Bretagne, de Paris forcément. Guy aperçoit un terrain de football, en contrebas. Il faudra vite demander les chaussures à Juliette. Elles sont dans l'armoire à Bréhal. On va bien se régaler!

Des planches qu'on remue, quelques clous encore dans les murs de la baraque, ce sont les copains qui finissent d'emménager. Guy aura droit à son étagère, juste au-dessus de son châlit; c'est le plus jeune du camp avec Claude Lalet, on lui doit bien ça!

Les baraques des prisonniers ressemblent assez à de petites maisons basses, comme ces corps de ferme où l'on range le matériel des champs. Guy s'apprêtait ainsi à faire l'expérience d'une vie

brusquement rythmée par les détails d'un quoti
dien ouvert au cafard, parfois à la bonne humeur,
souvent à la mélancolie : «Mon pauvre Papa,
écrit-il à Juliette, au début de l'été, comme il doit
être anxieux en ce moment, comme nous
d'ailleurs. Voilà vingt mois qu'il est enfermé, et
moi bientôt neuf [...]. Le temps a passé assez vite
[...]. Quand nous reverrons-nous, rue Baron [...].
Enfin, maintenant, plus que jamais, courage et
confiance!»

Guy écrit plus d'une centaine de lettres à
Juliette. Elles sont comme les photos de ceux que
nous avons aimés, maintenant disparus : autant
de directs à la face; c'était hier, et c'est encore
aujourd'hui. À mesure que je me rapproche de la
carrière, le 22 octobre, il me semble, à lire toutes
ces lettres, que Guy est de retour. Nous savons
bien qu'avec les plus jeunes du camp, il ne
réalisa qu'au dernier moment le sort qui lui était
promis. Qu'importe, nous lisons ces lettres
comme une offrande. Certes, nous vivions un
temps où l'écriture, les lettres en particulier,
s'imposait encore pour témoigner de l'affection,
donner des nouvelles, tout simplement. Même
hors du camp, Guy avait toujours écrit assez
régulièrement à son père ou à ses copains et
copines de Bréhal, Saint-Georges et Bagneux.
Mais tous les détenus ne le faisaient pas. Je pense
à mon grand-père, Pierre Gaudin : pas de lettres
à Blanche, emprisonnée à Rennes. Aucune

nouvelle, ou si peu, à ma mère, Esther, désormais seule, élevée par une tante à Nantes. Pierre faisait tout simplement partie de ces ouvriers qui vivaient la clandestinité au jour le jour, dans la réflexion du combat politique, plus que dans l'affection en direction des siens. Il les aimerait, mais plus tard. Pour l'instant, il fallait agir. Avant de s'évader, dans la nuit du 23 au 24 novembre 1941, avec Auguste Delaune, Pierre avait eu de quoi s'occuper avec la baraque 3, celle des Nantais..

Soixante années ont donc passé, et personne n'a osé pousser la porte des derniers secrets de Guy. Les hommages officiels avaient été rendus : Maurice Schumann et Michel Debré, dans la carrière, en juin 1944 : une plaque, au deuxième étage de la rue Baron, une autre au Panthéon; Heureusement aussi, l'amicale de Châteaubriant, les commémorations chaque année. Pourtant, je m'étonnai qu'un tel silence fût retombé, comme un plomb scellé à jamais sur le lycéen de Carnot. D'une certaine manière, n'avait-il pas contribué à sauver l'humanité?

Esther vivante, je me méfiais de ces souvenirs qu'on accorde à une histoire vécue par d'autres que nous. Dans son silence, finalement, son incroyable discrétion, Pierre Gaudin en avait drôlement rajouté. À chacun, dans la famille, il avait donné l'autorisation de se détacher de ces vieilles choses, de vivre, insouciant, sans regarder

119

en arrière. Il avait fallu cette intervention d'anciens résistants nantais, pour qu'enfin, en 1986, lui soit remise la croix de chevalier de la Légion d'honneur. Esther en était fière! Ils avaient scellé, tous les deux, la plus belle des filiations – bien au-delà du fait d'être le père et la fille –, simplement par cet acte de résistance, quelques jours après la mort de Guy et de tous ses camarades : lui, participant au découpage des planches marquées par les derniers cris des otages; elle, se débrouillant pour les récupérer chez le dentiste de Châteaubriant. Plus tard, en les voyant vivre tous les deux, quand nous rendions visite à Pierre et Blanche, pendant les vacances, à Nantes ou Saint-Brévin-les-Pins, je mesurais davantage encore ce qui les unissait. L'épouse, Blanche, qu'elle le veuille ou non, était hors du coup. D'ailleurs, revenant de Mauthausen, en 1945, mon grand-père, alerté par de sordides rumeurs courant sur le compte de Blanche, l'avait prise à part, entre quatre yeux; rassuré, il resta. Au moindre doute, il aurait tout quitté.

Ce qui faisait de Pierre beaucoup plus que le père d'Esther, ç'avait été la découverte commune d'une forme de frange avec la mort, la prise de risque indispensable – c'est à toi de choisir –, l'évasion, ces planches, les camps en Allemagne et la proximité physique avec les otages.

Alors que nous étions assis tous les deux sur les marches du passage Pommeray à Nantes, je me souviens avoir osé cette question tout à fait imbécile, mais prévisible aussi quand on a seize ans à peine, et que les histoires de Résistance ne sont pour vous que de vagues romans policiers!

– Pourquoi, ils ne t'ont pas désigné, toi, dans la baraque 3. Pourquoi Bastard, Le Panse, David, et pas toi…?

– Je ne l'ai jamais su. Sur le coup, me dit Pierre, hormis la baraque 19, dont les prisonniers savaient bien qu'elle donnerait le plus gros contingent d'otages, tout le reste nous apparaissait comme une incroyable loterie. Pourquoi lui? Pourquoi pas moi? Peut-être plus tard, dans quinze jours ou bien trois semaines…?

Un détenu, originaire de Vitry, en région parisienne, m'avait parlé d'une telle incertitude. Le 22 octobre 1941, il avait fumé un bon paquet de Celtiques en moins d'un quart d'heure, debout, dans la baraque 26. En allemand, cette atmosphère lourde, saturée d'angoisse se dit *dicke Luft*. Un copain venait d'être appelé. Auffret s'était levé, sans hésitation.

Guy avait rêvé d'un 14 juillet tout de même plus agréable! Un vrai temps de chien. Une pluie fine, qui vous consignait à l'intérieur des baraques. C'est vrai qu'à Châteaubriant, les prisonniers s'étaient débrouillés pour mettre sur

121

pied toutes sortes d'activités. Les plus instruits donnaient régulièrement des cours d'anglais, d'espagnol, de mathématiques aussi. Pour Guy surtout, et ses copains de la 10, Roger Sémat, Rino, le frangin italien, Maurice, c'était le sport qui les occupait. Mais aujourd'hui, rideau, pas de courses possibles autour de la piste qu'ils avaient construite, pas de volley. Le foot, n'en parlons même pas. Il y avait toujours des bricoles à faire, une partie d'échecs à commencer, un peu de rangement dans la carrée. Encore un peu de patience, les copines ne tarderaient plus à rejoindre le camp! Toutes, prises dans les grandes rafles de Richelieu-Drouot, à Paris, quelques jours après le défilé du 14, sur les grands boulevards. Il en passera, des heures, Guy, à faire le beau, du côté de la palissade, comme ça, juste pour parler avec ces nouvelles détenues, faire connaissance quoi, se promettre qu'on se reverrait, libres!

Le sport, ça lui rappelait vraiment le bon temps de Carnot, quand il se tirait la bourre, sous le préau, avec le fils Éboué. C'était même le grand luxe, dans ce camp entouré de fils barbelés : Auguste Delaune le massait! En vrai... Delaune, il avait pris la direction de la FSGT, avant la guerre en 1934. Un très bon coureur, mince, gymnaste aussi, et c'est lui qui dirigeait, chaque matin, la leçon de culture physique. Ces leçons faisaient un bien fou, mais elles imposaient aux plus jeunes un réveil matinal. Et Guy, il en écrasait! Jamais debout avant dix heures trente, le matin. Il fallait bien aller à l'appel, vers sept heures trente, mais ensuite, il se recouchait. À la fin du mois de juillet, Delaune n'avait pu s'empêcher de blaguer un peu sur son compte. Il était entré dans la baraque 10 avec la complicité de Roger, s'était approché du châlit. Guy était endormi, tranquille. Il était tout de même neuf heures passées. Prenant son harmonica qui reposait sur l'étagère, Delaune lui avait copieusement soufflé dans les bronches.

– Alors gamin, tu veux une berceuse…? Du ch'ti ou de la Bretagne…

Dans la carrée, on avait bien rigolé. Guy s'était levé d'un bond. Promis, il ferait le jus pour les copains, chaque matin, ou presque. Au réveil, il irait même sur la piste. Quelques tours, et ça le mettrait en forme, avant l'écriture des lettres. C'est vrai qu'ils avaient ri de bon cœur, tous les deux, incapables de penser à l'avenir. Deux petites oreilles légèrement décollées du visage, une grosse mèche toujours dégagée vers l'avant, Auguste Delaune avait l'allure d'un poupon tranquille et jovial. Il fallait d'ailleurs une certaine décontraction pour faire la gym, chaque matin, à des hommes qui n'en avaient pas forcément toujours l'envie. Auguste Delaune s'évade avec mon grand-père, et un autre gars de Nantes, Henri Gautier, le 23 novembre 1941. Pierre nous a si souvent fait rire, racontant l'histoire de cette évasion. Un mois, presque jour pour jour, après la fusillade de la sablière. Il fallait bien partir et recommencer le combat, dehors! À force d'être fusillé, il n'y aurait plus grand monde... Delaune, Gaudin, Gautier s'évadaient pour réactiver le plus vite possible, à Paris, comme dans la région nantaise, les groupes du Front national.

L'évasion du 23 novembre arrache encore un étrange sourire à mon grand-père, que je regarde sur une vidéo tournée par un historien nantais. Le souterrain que des détenus avaient creusé pendant plusieurs semaines devait aboutir au plus près de la route de Fercé, en dehors de cet espace que les projecteurs allemands balayaient de leur mirador. Patatras! Les trois évadés se retrouvent à proximité d'un petit bois, bousculant ainsi l'orientation les plans qu'ils avaient établis. Surtout, Pierre, dont la forme et la mobilité d'action ne sont pas franchement à la hauteur du sportif Delaune, s'accroche, perd pied dans les fils de fer barbelés. La braguette arrachée. Les trois hommes, cachés pendant plusieurs semaines, à une trentaine de kilomètres de Nantes, s'en sortent bien. Mon grand-père est rassuré : une femme fort sympathique lui a recousu son pantalon. Auguste Delaune aura le temps d'abattre quelques soldats allemands. Plusieurs attentats aussi. Sa tête est mise à prix par la Gestapo. Il fait le coup de feu, contre les miliciens, un soir du mois de juillet 1943, et s'écroule, au bout du rouleau, dans une rue du Mans. «Un solide» cet Auguste, me disait Pierre. Torturé pendant plus de quinze jours, dans l'hôpital même où il a été transporté, Delaune meurt, sans avoir parlé, le 12 septembre 1943.

À Châteaubriant, ça n'était pas le *farniente* ni la douceur de vivre. Du moins Guy pouvait-il exprimer ses colères, parfois ses états d'âme, dans ces lettres qu'il expédie à Juliette. Le camp de Choisel, construit sur d'anciens champs de courses, avait enfermé, jusqu'au mois de janvier 1941, plusieurs milliers de prisonniers après la défaite de 1940. Les Castelbriantais avaient surtout retenu de leur histoire les amours cultivées de Françoise de Foix avec François Ier. Ils aimaient leur terre. Découvrant les camps de Choisel, ou du Moulin-Roul, la Courbetière ou la Ville-en-Bois, ils faisaient en même temps l'apprentissage d'une forme de solidarité secrète, un combat souterrain : des vivres qu'on apporte près des fils barbelés, le billet d'un prisonnier qui s'en va dans les mains de son épouse, et, sur le passage des détenus partant pour l'Allemagne, ce paquet de biscuits qu'on jette sans un regard pour les sentinelles. Châteaubriant n'oubliait sans doute pas que son maire avait été un ministre d'Aristide Briand. Les vexations allemandes devenaient trop fortes dans la ville. Vingt francs pour avoir oublié de mettre pied à terre, au carrefour. Même tarif pour avoir roulé, de front, à bicyclette. Plutôt que de vivre couché en collaborant, le maire démissionna. Encore une fois – peut-être pour se consoler de n'avoir pas eu le courage de faire front contre la barbarie –, on nous rebat les oreilles, ici ou là, depuis tant d'années, que la France était fidèle à Pétain. C'est faux. Dans l'ombre d'une boulangerie de campagne, sous le préau d'une cour d'école ou derrière les bâches de ces commerçants, dans les voitures de ravitaillement de tant d'associations d'anciens combattants, combien d'évadés, combien de détenus recueillis dans les environs de Nantes. Rien n'aurait pu se faire, me disait Pierre, sans le soutien discret, fragile certes, mais efficace, dans l'ombre, de toutes ces consciences anonymes. Les dégueulasses, on les avait repérés. Ils faisaient leurs affaires. On verrait ça plus tard. Parfois même, c'était peut-être comme cela, chez les hommes, la beauté des choses pouvait s'installer à côté du plus sordide; je pense au lendemain de la fusillade dans la clairière, le 23 octobre 1941. Le crime était encore fumant, la terre, rouge du sang des otages, sur le chemin qui conduit à la carrière, route de Soudan. Pourtant, après le départ des camions emportant les corps, suivis par la Torpedo de l'officier allemand, des soldats étaient restés, jetant de la terre, beaucoup de terre, afin d'effacer les traces. Les neuf poteaux avaient immédiatement été retirés. Jetés dans les camions, cassés au château, en ville. C'était un mercredi. Les heures qui passaient n'étaient plus les mêmes à Châteaubriant. Peut-être parce qu'un curé, l'abbé Moyon, de Béré, avait vu longuement tous ces hommes avant leur départ, et que déjà, il racontait, il disait toute sa peine à ses paroissiens. Nous verrons un peu plus loin que les autorités allemandes avaient donné ordre à la préfecture d'enterrer les corps, trois par trois, dans neuf petits cimetières, autour de Châteaubriant; surtout, dans des communes ne possédant aucune gare, isolées, difficiles d'accès. Ruffigné, Sion-les-Mines, Saint-Aubin-des-châteaux, Erbray, Villepot, Lusanger, Moisdon-la-Rivière, Noyal-sur-Brutz, Guy et l'instituteur violoniste Marc Bourhis avaient rejoint le cimetière du Petit-Auverné. Dans une note adressée aux familles, par la sous-préfecture de Loire-Inférieure, vingt-sept numéros, dans l'ordre, et au bout de chacune des lignes désignant le nom d'un fusillé, le lieu où il est enterré.

Dès le vendredi 24 octobre, un jeune homme se présente au garage principal de Châteaubriant. Marcel Charron est le patron de ce garage Citroën, une institution dans la ville. Plein centre. À deux pas du château. Sa 201 à essence lui permet de faire le taxi. D'ailleurs, il possède un

127

laissez-passer qui lui permet de travailler tout à fait normalement. Le jeune homme qui s'approche, peut-être à cause de l'émotion, mêlée à la crainte, au désarroi, s'exprime à voix basse, et ne donne pas son identité.

– Mon père vient d'être fusillé. J'ai le nom du cimetière où les Allemands l'ont enterré, hier matin je crois. Vous m'emmenez…?

Bien sûr que Marcel l'emmenait. Son père, c'était qui…?

– Barthélémy. Henri Barthélémy. Mon père était cheminot, à la retraite. Je ne savais pas qu'on pouvait être fusillé à cinquante-huit ans, comme ça, dans ce pays. Il avait distribué quelques tracts, chez nous, à Thouars, l'année dernière. J'ai vu son nom, hier matin, dans le journal. Au camp, ils m'ont dit d'aller voir à la préfecture. Mon père est à Ruffigné.

Vingt-sept petits bouquets, dans le taxi de Marcel Charron. Des fleurs qu'ils sont allés chercher chez Chapelet, ce qui se fait de mieux à Châteaubriant. La note de la préfecture rappelait qu'il était interdit de déposer sur les tombes une plaque mentionnant le nom du fusillé. Mais il était permis de les fleurir et d'y laisser des couronnes. En revenant le soir, à son garage, Marcel Charron était attendu par deux policiers allemands. Il était convoqué à la Kommandantur. Pour quelle raison s'était-il rendu au cimetière de Ruffigné? On l'avait aperçu là-bas, avec des

128

fleurs. Un moment, Marcel tourna la tête. La porte du bureau où il se trouvait maintenant était légèrement ouverte. Dans l'embrasure, ce qu'il restait d'espace, il aperçut un entrepreneur assez connu dans le coin, Émile Janin, spécialisé dans la maçonnerie. Émile, il avait claqué des talons et levé le bras, très haut, face à l'officier allemand qui le recevait. Marcel avait oublié ce qu'on lui demandait.

C'est vrai qu'il y avait quelques beaux restes de vie, dans ce camp de Choisel.

Les nouveaux prisonniers – des politiques depuis le début du printemps – s'en occupaient. C'était un bras de fer permanent avec la direction du camp. Mais tout de même, vaille que vaille, ça marchait. Jean-Pierre Timbaud représentait les détenus. Plus tard, quand il rejoindra la baraque des otages, il sera remplacé par Poulmarch... Jean Poulmarch.

La vie, et rien d'autre en quelque sorte. La vie d'une chorale, où le jeune instituteur violoniste Breton, Bourhis, pouvait s'en donner à cœur joie. Arrighi, l'ancien maire du XVIIIe arrondissement à Paris, la dirigeait avec rigueur. La vie à Châteaubriant, c'était aussi le championnat de marche, sur cinq kilomètres; les courses à l'américaine, chaque dimanche; une visite chez le dentiste, en ville, même accompagné d'un gendarme, on rêvait d'évasion, pour se distraire.

Ou bien un duo d'harmonica, Guy et Roger le soir après l'appel, dans la carrée des jeunes. Parfois aussi on se tapait la cloche : un peu de thon, quelques pommes de terre à l'huile, ou ce pain d'épice, niché tout au fond d'un colis. La cuisine pouvait être bonne : c'étaient les détenus qui assuraient. Comme dans toutes les familles, il y avait des gars «qu'on mettait de côté», pendant quelque temps. Pourquoi taire ces choses? Elles n'enlèveront jamais rien aux trésors lâchés par les sabots de ces détenus, malgré la fuite du temps. J'apprends par exemple, qu'un ou deux amis de Marcel Gitton – ancien député communiste passé chez Doriot –, prisonniers eux aussi, ont eu toutes les peines du monde à cohabiter avec les militants communistes.

À la fin du mois de juillet, le sous-lieutenant Touya, cravache à la main, déboule dans la baraque du maire de Gennevilliers, Jean Grandel, assoupi sur son lit :

– Le poste de TSF que vous planquez sous votre serviette… Vous le renvoyez chez vous, ou bien c'est le mitard pour deux jours.

– Mais… Il y a déjà eu des perquisitions… C'était autorisé… C'est une dénonciation de vos amis… Ils ont fait leur rapport…

– Y a pas de rapport… Ce n'est plus autorisé… Vous renvoyez le poste, compris…?

Timbaud n'a pas lâché sa pipe, mais il s'accroche avec le sous-lieutenant, et proteste contre la confiscation des deux postes disponibles dans le camp. Rien à faire.

– Un poste, ajoute Touya, ça vous sert simplement à prendre des directives au-dehors... Il y a un certain chiffre 66 qui peut amener des instructions.

Le lendemain, au début de l'après-midi, cinq gendarmes se présentent dans la baraque 10. Cette fois-ci, il s'agit d'emmener plusieurs détenus, mis à l'écart, méprisés; la carrée les soupçonne de travailler pour Gitton, à l'intérieur du camp, et d'être à l'origine de la perquisition. Ils s'en vont rejoindre le baraquement des prisonniers de droit commun. Ceux qu'on appelle les souteneurs. Dans la baraque 10, on les insulte copieusement : «Vous pouvez aller trouver Hitler... dépêchez-vous, la LVF engage... avec un peu de chance, vous serez à Smolensk la semaine prochaine...!»

Dans la baraque, Guy avait assisté à tous ces événements. Avec les copains, Rino, Roger Sémat et Maurice. Le tabac, quelquefois même, les Celtiques ou un bon paquet de Gauloises que lui envoyait Juliette ou Odette, une copine de Bagneux, ne suffisaient pas forcément à lui remonter le moral. Mais il fumait trop pour se résoudre à marcher de long en large dans le camp, à la recherche de mégots, que, d'ailleurs, d'autres copains s'efforçaient aussi de ramasser. C'était peut-être cette chaleur écrasante de juillet qui le mettait un peu à plat, par moments. Surtout, il avait eu du mal, Guy, à digérer les premières brimades, depuis l'évasion de quatre détenus. Parmi eux, Fernand Grenier. Visites supprimées! Est-ce que c'était leur faute, à tous ceux qui restaient, si ces quatre gars avaient taillé la route…? La plupart des prisonniers étaient à Choisel depuis le mois de mai. «Vous croyez que c'est facile de mettre quatre cents types d'accord, en bon état de marche, criait Timbaud aux oreilles de Touya… tous des prolos en plus…»

Touya aimait ça, se colleter aux détenus. Toujours droit dans ses bottes, cirées comme un miroir, et la cravache sous le bras. Le regard brun, pour la peur. À croire que l'ordre était dans sa nature. Il avait pris la place du capitaine Leclercq, muté à Moisdon-la-Rivière, bientôt en partance pour le front russe, sous les couleurs de la LVF, et qui venait parader dans les cafés de Châteaubriant pendant ses permissions. Touya, sous-lieutenant de gendarmerie, avait fait ses armes dans les Pyrénées où il avait surveillé pendant plusieurs mois des réfugiés espagnols. À Paris, avant la guerre, il avait fait le coup de poing, chez Renault, pour mater les grévistes. Avant de monter dans le camion, la mort bien maîtrisée, Timbaud, finalement, laissera filer un crachat au visage d'un homme avec lequel, pourtant, il avait dû négocier pour ses cama-rades. Le crachat, puis tout de suite le revolver jaillit de la ceinture. On calma Touya qui s'essuya le visage.

Écoutant les derniers rescapés, copains de Guy, chefs de baraque encore vivants, j'ai cherché, souvent guetté, un détail capable d'imposer, non pas le respect, mais une sorte d'indifférence, dans le portrait d'un homme dont la fonction avait consisté à faire le molosse pour les nazis. Je n'ai rien trouvé. Touya, certes, simple serviteur. Jamais décideur. Rouage minable dans une mécanique dont le moteur ronflait à la Kommandantur, *via* l'officier Kristucat, s'emballait sur les épaules du sous-préfet Bernard Lecornu, aux ordres, puis s'affalait sur le chef de camp. D'autres avaient fait le choix de se faire trouer la peau, dès 1940. Je m'étonnerai toujours, décidément, de la manière toute sélective avec laquelle l'Histoire se permet de distribuer les plats, en fin de partie. C'est ainsi que le sous-préfet Lecornu, qui mélancolise en 1943, dans les salons de l'*Hôtel du Parc* à Vichy, juge que «Touya commit l'erreur de donner prise à l'imagerie [...] la cravache dut contribuer singulièrement à la caricature en geôlier, garde-chiourme, chef de corvée [...]. Je sais aussi qu'il tirait des coups de feu en l'air pour provoquer l'extinction des lumières quand l'heure du couvre-feu n'était pas respectée dans les baraques [...].» Après la guerre, Lecornu a souhaité revoir quelques-unes des familles de fusillés. Il n'eut pas de réponse à ses courriers.

Guy a eu dix-sept ans, le 26 avril 1941. Juliette lui a rendu visite, au début du mois de juin. Avec son petit frère, Serge, que Guy appelle toujours avec affection «Juju», sans doute parce qu'il ressemble étrangement à sa mère. Une photo, prise à l'intérieur de la baraque, tout près du lit, témoigne de la dernière rencontre, à trois, des Môquet. La rue Baron, le boulevard Bessières, les Allemands aux fesses, Carnot et les copains de la 4e, Cohen et Chalon, partis se réfugier à Nice, sont bien loin. L'air est devenu tellement irrespirable pour les juifs à Paris. Serge a mis son beau costume de marin, une petite culotte, et des chaussettes blanches. Il a tellement fallu le calmer, pour qu'il ne se mette pas lui aussi à distribuer des tracts, avec son grand frère, dans les rues de leur XVIIe. Il était même prêt à en découdre avec les autorités pour venir le chercher dans sa cellule, à Fresnes! Ah son grand frère... C'est quelque chose : «Il est beau hein, maman», dit-il, en sortant du camp, sur la route de Fercé. Une journée à vous en demander d'autres, pensa Guy, les bises claquant sur les joues au moment du départ. Les copains l'avaient même dispensé de corvée; maintenant, il n'évitera plus l'épluchage des «ruta» et des pommes de terre.

Et ce 14 juillet qui n'en finit plus d'être si triste. Il pleut, et ce sont maintenant les Allemands qui gardent le camp. Interdit d'approcher à moins de trois mètres des fils de fer barbelés. Les soldats peuvent tirer. Il pleut sur les massifs en fleurs, dressés devant les baraques. Quant aux lampes électriques, dans les carrées, elles ont toutes été confisquées. Il faudra les renvoyer à la maison. On reproche à certains détenus de glisser deux ou trois lettres par enveloppe. Résultat, chaque chambre a désormais droit à quinze lettres; trois lettres par semaine et par prisonnier. Par moments, on pourrait penser que le jeune Guy invente sa propre histoire, anticipe sur cette fin délirante, du 22 octobre. Mais ça n'était pas qu'une simple demande de tabac, un ou deux peignes, de la brillantine pour les cheveux, et mon costume gris, pourrais-tu me le renvoyer si j'obtiens la carte d'habillement…?

Il y avait bien autre chose que ces messages qui n'auront, on le devine, aucune peine à franchir le mur des années. «Espérons que, bientôt, nous pourrons nous réunir, mais toute la famille au complet. J'espère que ta santé est meilleure. Il ne faut pas repenser à ce que tu as été en 1929 et 1930 et à ce que tu seras demain. Aujourd'hui tu es fatiguée, dis-toi que ce n'est qu'une fatigue passagère. D'ailleurs, ce n'est pas parce que tu as continuellement sommeil que tu vas être malade. Moi aussi, en ce moment, j'ai un peu sommeil dans la journée et je me porte comme il faut. Surtout ne te fiche pas le noir avec la maladie. Tout va bien, le moral est plus qu'excellent pour moi comme pour tous ici [...]. Alors cette année, me dis-tu, les prix ont été distribués dans les classes sans cérémonie. Que de différence avec les années précédentes! Te rappelles-tu le mal que nous nous sommes donné il y a deux ans pour ces prix? Papa a dû y repenser lui aussi là-bas [...]. Pauvre Juju, il ne pourra pas être récompensé, pas même par un séjour à la campagne. Ce sera pour bientôt maintenant, qu'il ne perde pas courage.»

Au bagne de Maison-Carrée, Prosper et ses camarades ne peuvent plus écrire. Interdiction de courrier depuis la mi-juillet. C'est donc beaucoup plus tard, dans ses lettres à Pétain, à Juliette aussi, que le père va mesurer la maturité d'un fils qu'il avait formé à son image : courage, tu serres les dents, et droiture! Et quand il partira, le 22 octobre, on pense à cette phrase, abandonnée au curé de Béré, l'abbé Moyon, qui le regarde, bras dessus bras dessous avec Jean-Pierre Timbaud : «Mon nom restera dans l'Histoire, car je suis le plus jeune des condamnés [...].» Il fut une époque, un temps, où les derniers messages de Guy me bouleversaient autant qu'ils me faisaient peur. Esther avait parfaitement réussi son coup. La première chose qu'elle me proposait, enfant, en descendant dans la carrière : lis la

PARQUET
DU
TRIBUNAL DE PREMIÈRE INSTANCE
DU
DÉPARTEMENT DE LA SEINE

Paris, le **24 JAN. 1941**

Le Procureur de la République

à Monsieur le Directeur des Prisons de

Fresnes

J'ai l'honneur de vous faire connaître
que par jugement du 23.1.41,
le jeune Mocquet (Guy), 16 ans,
a été remis à sa mère, en liberté
surveillée.
(pas d'appel).

Rien ne s'oppose
donc à l'exécution
immédiate de
cette décision.
L'enfant devra donc être remis
à sa mère, qui le réclame.

Le Substitut
Chef de la Section
du Tribunal pour Enfants
et Adolescents de la Seine

Lettre du substitut au directeur de la prison de Fresnes, 24 janvier 1941

Chateaubriant le 16-5-41

Ma chère petite Maman,

Nous sommes arrivés depuis hier midi et demie dans notre nouveau domicile qui n'est autre qu'un camp de concentration entouré de barbelés et fait de baraques en planches. J'y ai retrouvé à mon grand étonnement Pignard et Grandjean. Ils sont bien et te souhaitent le bonjour. En ce moment Pignard est en face de moi, il écrit lui aussi. Nous avons été heureux de pouvoir causer de choses et d'autres, depuis le temps que nous ne nous étions pas revus. En arrivant nous avons mangé une soupe un œuf dur et des nouilles, la cuisine est très faite, ce sont des camarades qui s'en occupent. Nous avons un terrain de football je te demanderai de m'envoyer mes affaires car nous allons former des équipes. Pour les colis nous avons droit à autant que l'on veut et de n'importe quel poids. Donc dès que tu pourras m'en envoyer un fais-le. Pour les visites tu n'a qu'à en faire la demande à Monsieur le Capitaine Leclerc commandant du camp de Chateaubriant. Si tu pouvais venir avec la femme à Jean, en même temps nous pourrions passer une bonne journée tous les quatre ou tous les cinq si Jujur venait avec toi. Jean m'a dit que tu devais venir à Clairvaux dès que les visites reprendraient, alors je t'attends ici ou les visites sont plus agréables que dans une cellule. J'espère que tu auras reçu toutes les lettres que je t'ai envoyées. Je compte avoir de tes nouvelles d'ici peu. Je couche à côté de Robert et de Jean. Heureusement que j'avais une couverture car nous n'avons que deux bouts de draps qui ne bordent même pas.

Lettre de Guy à sa mère, 16 mai 1941

Les copains sont entrain de finir notre baraque et de l'amenager.

Quand tu m'ecriras tu me diras quand la femme a Jean compte venir et si tu viendras avec elle comme je le desire. Notre adresse est celle-ci : Môquet interné politique Camp de Choisel Batiment 10 Chateaubriant Loire inférieure. Pour les colis c'est la même adresse. Ce n'est pas comme a Clairvaux pour le courrier, les lettres de la sorte arrivent plus vite. Je ne t'avais pas dit que j'avais la joue enflée, la joue droite, j'ai une dent de sagesse qui pousse. Heureux encore que je n'ai pas eu de fièvre pour le parcours, j'aurais été embêté. Maintenant ca va mieux.

Aujourd'hui il fait un beau soleil vraiment au ballon pour faire une bonne partie de football.

Nous avons le droit d'écrire tous les jours, mais aujourd'hui je vois rien a te dire, il est vrai que nous sommes tous, bouleversés quelque par ce changement de vie. Esperons que bientôt cette vie la finie et que nous rentrerons tous chez nous. Je vais terminer ma courte lettre pour aujourd'hui je t'ecrirai plus longuement demain.

En attendant de tes nouvelles et la visite certaine... recois chere petite maman de ton fils qui pense bien a toi mille grosses bises affectueuses. grosses bises a Julot.

Guy

3

Chateaubriant le 14 juillet 41

Ma chère petite Maman,

Aujourd'hui pour un quatorze juillet c'est plutôt mal réussi ! Il fait un temps de chien. Il pleut sans arrêt. Nous qui avions organisé une fête sportive... l'on peut vraiment dire que c'est "dans l'eau".

Je ne t'ai pas écrit hier, j'ai écrit à Odette. J'espère avoir une lettre de toi tout à l'heure peut être bien les photos que tu m'avais promises.
Ce sont les autorités allemandes qui ont pris le commandement du camp. Il ne faut pas approcher à plus de trois mètres des fils de fer sans cela, on tire sur nous. On nous a enlevé nos lampes électriques. Nous sommes menacés des armes si nous n'écoutons pas les ordres qui nous sont donnés. Enfin ! Le moral n'en reste pas moins bon. J'espère que vous êtes en bonne santé, quant à moi je vais très bien.

J'ai reçu hier une carte de Papa dans laquelle il me dit qu'il reçoit peu de mes nouvelles, et pourtant je lui écris ! Il me dit qu'il sait par Petit que je suis un beau garçon sa femme ayant reçu ma photo. Il voudrait bien la recevoir. Je vois que Lucienne fait de la propagande pour moi... Ma confiance ajoute-t-il grandit chaque jour. J'ai le ferme espoir que nous nous reverrons bientôt. Sa carte est datée du 25-5-1941.

Lettre de Guy à sa mère, 14 juillet 1941

Pour l'harmonica de Roger si tu n'en trouve qu'un
un côté seulement prends-le ! Avec lui, Rino et ???
nous allons casser la croûte à quatre heures. C'est jour de
fête il faut arroser ça !

Et vous où êtes vous aujourd'hui. Peut
avec M. Jean ou à Bagneux ou chez mémère. J'espère ??
ne fait pas ce temps là. Embrasse bien madame Jean pour
moi. Dis à mémère et mes tantes qu'avec ce nouveau règlem
du courrier que j'ai des difficultés pour écrire. Je pense
souvent à elles. Grosses bises à toutes à Bagneux.

Pour mon pull puis je crois t'avoir dit ??
nous n'avons plus droit d'expédier de colis jusqu'à no???
ordre. Je peux malgré tout le donner à nettoyer ici, c'es??
à dire à une blanchisseuse de l'extérieur. Un camar??
en a donné un et il est très bien. Alors dis-moi je pe??
le donner. Aujourd'hui je le supporte bien car il ne
fait pas chaud.

Ma chère petite Maman, je ne vois plus ??
à te dire ?? que je n'ai pas reçu encore ta lett??
Je termine donc en t'embrassant ain??
que Juju mille fois bien fort.

Ton Juju qui t'aime et pense bie??

Châteaubriant le 3 Août 1941.

Ma petite Maman chérie.

C'est avec un grand plaisir que j'ai reçu hier ta lettre du 1er. Je suis heureux que vous soyez en bonne santé. Jusqu'ici contrairement à ce que tu me dis j'ai eu une lettre de toi tous les jours. Pourvu que Papa reçoive le colis que tu lui as envoyé! Hier avec ta lettre j'en ai eu une d'Odette, j'ai été content d'avoir des nouvelles. Je m'étonne que l'administrateur de Maison carrée leur interdise d'écrire. Pourquoi cette sanction? Que de brimades eux aussi ont-ils subi! Cela va bientôt faire deux ans que Papa est en prison, et moi un! Que le temps passe!

Je viens de terminer ma culture physique et ma toilette. Le temps est toujours admirable. Le mois de Septembre s'annonce bien mais pourvu que cela dure! Pour le moment nous en profitons de notre mieux Volley-Ball, ping-pong, course à pieds. J'ai fait hier le 60 mètres en 7 sec. ou 6/10. Tu me diras si tu as eu la visite de la cousine Marie. Si j'ai bien compris celle était on a été Marcelle pendant un moment. Elle a donc eu une ferme! Explique moi ça et dis moi si elle va bien. Embrasse la bien fort pour moi ainsi que votre petit cousin Georges. Je n'ai pas de veine avec mes dents véritablement. J'ai une autre dent de gâtée. La même que du côté droit mais à gauche. Elle a d'ailleurs été plombée aussi. En plus j'ai, toujours du côté gauche en bas cette fois, une dent de sagesse qui perce. Tout cela en même temps quelle déveine! J'ai demandé à aller au dentiste, je vais probablement y aller aujourd'hui. Mon abcès n'est encore pas terminé, je voudrais bien que ce soit terminé car le mal de dents c'est terrible comme tu le sais. Je vais voir Châteaubriant mais j'aimerais mieux que ça soit dans d'autres conditions car ce n'est pas rigolo.

Alors les jeunes mariés ont repris leur business comme tu me dis. Ils n'auront pas un début de ménage bien gai!

Lettre de Guy à sa mère, 3 août 1941

Nous n'avons toujours pas touché de couvertures ! Quand il fera plus froid je te demanderai de m'en envoyer une. J'en ai reçu une hier avec un oreiller et un polochon. J'espère qu'avec sa femme vous avez passé hier une bonne soirée. Surtout embrasse la bien fort pour moi quand tu la vois. Elle est comme son mari bien gentille. J'espère avoir le colis que tu m'as envoyé hier aujourd'hui. Mille fois merci petite Maman pour ce que tu fais pour moi. Pourrais tu m'envoyer si tu le peux un mandat. Il ne me reste plus que dix francs. Je vais très probablement te joindre à ma lettre les photos. Bonpapa attend son colis aujourd'hui et celles sont dedans; tu verras. Celle où nous sommes à côté des barbelés est beaucoup mieux réussie que celle prise entre la 9 et la 10 au milieu de notre petit jardin. Demain je répondrai à Odette et je lui en enverrai une. En tous cas je vais te mettre une photo que j'ai trouvé en feuilletant un illustré. Comme moi tu reconnaîtras bien vite notre ancienne rue Ste Isaure et Mr Marceau la concierge de l'école où j'ai été pendant deux ans. Je me rappellerai ces douze années d'enfance que j'ai passé dans ce quartier du 18ème. Le pauvre papa s'en souviendra certainement mieux que moi car c'est de pénibles moments qu'il a enduré. Je me souviens du jour où Caris est venu trouver "Bubuss" pour que je ne fasse pas signer mon livret à Papa... C'était des moments d'anxiété "fossé on pas fossé" mais combien je voudrais les revivre !

Jean, Robert, Tintin, Rino, Roger qui est remis maintenant te souhaitent bien le bonjour.

Quand je vais avoir terminé cette lettre, j'irai faire une partie de ping-pong. C'est le grand passe temps de la journée.

Je termine donc pour aujourd'hui en t'embrassant mille fois bien fort avec papa

Ton fils qui t'aime et pense bien à toi.

Guy

Chateaubriant le 1 Octobre 1941

Ma petite Maman chérie

J'ai bien reçu hier ta lettre du 29. Je suis heureux de vos nouvelles. Pour moi la santé est excellente. L'autre jour comme je te l'ai dit j'ai été au Dentiste en ville. Ma prémolaire où j'ai eu l'abcès ne peut pas être soignée me dit-il, il voulait me l'arracher mais je n'ai pas voulu. Ai-je bien fait ? Je dois te dire qu'il y a toujours un peu d'infection, à l'endroit de l'abcès. Quant à mon autre dent elle n'avait rien c'était un bout du plombage qui était parti. Il m'a donc passé un "bon coup de roulette" qui ne m'a d'ailleurs pas fait mal du tout, et il me l'a plombée. Je suis heureux que vous ayez trouvé les photos de notre Boby. Hier, le temps s'est amélioré, il n'a pas plu et aujourd'hui le soleil brille. Tel qu'il l'a fait pendant tout ce mois de Septembre qui était en comparaison plus beau que l'été. Donc aujourd'hui, profitant du soleil, nos nouveaux camarades, hommes et femmes, de l'autre côté du camp, font leur fête qui devait se dérouler Dimanche dernier. Nous allons donc bien nous amuser. Et vous qu'allez-vous faire ?

Je n'ai pas encore reçu de nouvelles d'Odette. Je ne sais pourquoi. Attend-elle les photos pour me les envoyer, peut-être. Les as-tu reçues ?

Je relis ta lettre et je m'aperçois que Julot va bien rigoler aujourd'hui puisqu'il va au cirque Amar. Ce pauvre Serge n'a pas beaucoup d'amusement, qu'il en profite ! Et toi pourquoi n'irais-tu pas avec lui ? Ça te distrairait un peu !

Lettre de Guy à sa mère, 1er octobre 1941

Marie t'a écrit, elle m'a fait lire sa lettre et m'a dit qu'elle s'était soulagée un peu. Réécris-lui elle sera heureuse d'avoir de tes nouvelles. Elle m'a demandé à nouveau mes chaussettes et ma culotte pour les laver et les repriser. Je vais les faire laver et je ne les lui donnerai qu'à repriser. Elle est bien gentille et courageuse tu sais !

Aujourd'hui Jean est mal fichu mais ce n'est rien. Ce n'est pas la peine de le dire à sa femme elle se ferait du mauvais sang alors que ce n'est rien. Surtout fais lui des grosses bises pour moi quand tu la vois. Grand père te remercie de ton bonjour et t'envoie le sien en retour. Pour son âge il est bien gai (83 ans). Il nous chante des chansons de temps en temps et ne donne pas sa place dans la rigolade. Tous te donnent le bonjour René, Roger, Tintin qui nous a quitté, il est avec dix-sept copains, séparés de nous ! Benne et Renelle sont du nombre. Je dois te dire que Benne a perdu son petit de 4 ans hier ! d'une mort subite, c'est triste. Il est parti à l'enterrement hier, accompagné naturellement. Jean et Robert t'envoient leurs amitiés. Tu embrasseras la femme à Robert pour moi, ainsi que son petit, si elle l'a, quand tu la verras.

Le colis express que tu m'as envoyé, je vais l'avoir à deux heures. Je vais te dire que nous avons décidé, les cinq jeunes de notre chambre, de prélever chacun quelquechose sur nos colis pour se taper la cloche ensemble un jour. C'est Roger et moi qui en avons eu l'idée. Si des fois tu pourrais avoir ou une boîte de thon ou de sardines enfin une boîte de conserve quelconque tu me l'enverras.

Pour aujourd'hui je te quitte car la soupe est servie. Reçois, cher petit frère et petite maman, mille grosses bises affecté de votre :

Chateaubriant le 22 Octobre 1941.

Ma petite Maman chérie.

J'ai bien reçu hier ta carte lettre ainsi que le colis clapress que tu m'as expédié. Nous avons mangé l'épaule hier soir, inutile de te dire que nous nous sommes régalés, elle était épatante. Il m'en reste un morceau pour casser la croûte tout à l'heure. Tu me dis sur ta carte de Lundi que tu vas m'envoyer dès qu'il sera nettoyé, un pantalon noir. Où l'as tu eu, tu ne me le dis pas. Le froid commence à se faire sérieusement sentir, cette nuit a été très froide mais je ne me plains de rien, car je suis bien couvert, mais il a certains copains qui n'ont qu'une couverture, rends toi compte un peu ! Nous sommes restés enfermés de 7h hier soir à 9h ce matin. Ce sont les Allemands qui nous gardent la nuit depuis deux jours. Nous nous sommes couchés de bonne heure hier car nous n'avions pas de lumière, donc impossible de jouer soit aux échecs, soit à la belotte ! Le moral est excellent comme à l'ordinaire j'espère qu'il en est de même pour vous. J'ai été voir le Docteur ce matin, car je suis un peu fatigué, il m'a donné des piqûres de "thieodilate" (je ne sais au juste comment cela s'écrit) Surtout ne t'effraye pas ! la santé est excellente.

Tu me demandes comment est arrivé mon raisin, ça je suis sûr de l'avoir dit qu'il est arrivé tout écrabouillé. Il n'y a eu en gros que trois grappes de bonnes.

Aujourd'hui je suis de corvée de chambre avec Roger. Nous nous entendons comme deux frères. Tout à l'heure

Lettre de Guy à sa mère, 22 octobre 1941

nous allons aller chercher les assiettes et mettre le couvert. Pour
le moment je vais arrêter car je ne sens plus le bout de mes doigts
tellement il fait froid. Et je continue. Les lettres ont peut-être été
ramassées ce matin car le courrier part de Châteaubriant maintenant
à 3h ½ au lieu de 6h.

Embrasse bien fort Mémère mes Tantes, Juliette pour moi
et remercie-les ainsi qu'Henri. Mille grosses bises à la femme à Jean

Pour aujourd'hui je te quitte en t'embrassant mille
fois bien fort avec Julot.

Ton Guy.

Châteaubriant le 22 octobre 1941

Ma petite maman chérie
Mon tout petit frère adoré
Mon petit papa aimé

Je vais mourir ! Ce que je vous demande, à toi en particulier petite maman, c'est d'être très courageuse. Je le suis et je veux l'être autant que ceux qui sont passés avant moi, certes j'aurais voulu vivre, mais ce que je souhaite de tout mon cœur c'est que ma mort serve à quelque chose. Je n'ai pas eu le temps d'embrasser Jean, j'ai embrassé mes deux frères Roger et Rino. Quant à mon véritable je ne peux le faire, hélas ! J'espère que toutes mes affaires te seront renvoyées, elles pourront servir à Serge, qui je l'escompte sera fier de les porter un jour. A toi petit Papa, si je t'ai fait ainsi qu'à ma petite maman bien des peines, je te salue pour la dernière fois. Tâche que j'ai fait de mon mieux pour suivre la voie que tu m'as tracée.

Un dernier adieu à tous mes amis, à mon frère que j'aime beaucoup. Qu'il étudie, qu'il étudie bien pour être plus tard un homme.

17 ans et demie ma vie a été courte, je n'ai aucun regret si ce n'est de vous quitter tous. Je vais mourir avec Tintin, Michels. Maman ce que je te demande, ce que je veux que tu me promettes c'est d'être courageuse et de surmonter ta peine.

Je ne peux pas en mettre davantage, je vous quitte tous, toutes, toi maman, Sérge, Papa en vous embrassant de tout mon cœur d'enfant. Courage !

Votre Guy qui vous aime

Guy

Lettre de Guy à sa famille, 22 octobre 1941

ma petite Odette

Je vais mourir
avec mes 26 camarades
nous sommes courageux.
Ce que je regrette c'est de
n'avoir pas eu ce que tu
m'as promis.

Mille grosses caresses
de ton camarade qui t'aime
Guy

Grosses bises à Marie
et à toutes.
mon dernier salut à Roger
Rinot, (la famille) et Jean (Mercier)

Lettre de Guy à Odette, 22 octobre 1941

Lettre du père de Guy au maréchal Pétain

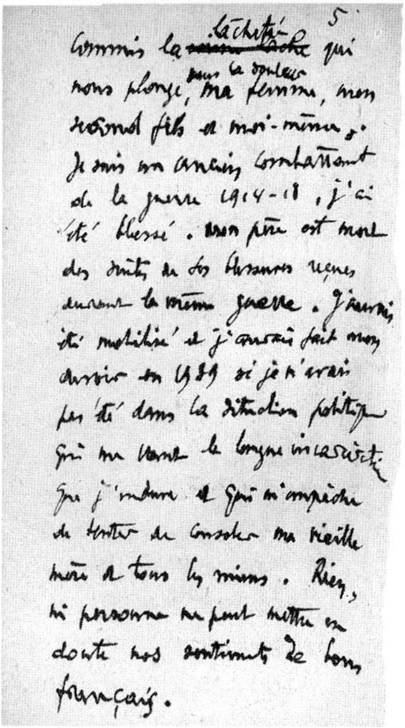

5

Connais la ~~[illegible]~~ lâcheté qui nous plonge, dans la douleur, ma femme, mon second fils et moi-même.
Je suis un ancien combattant de la guerre 1914-18, j'ai été blessé. Mon père est mort des suites de ses blessures reçues durant la même guerre. J'aurais été mobilisé et j'aurais fait mon devoir en 1939 si je n'avais pas été dans la situation politique qui me vaut la longue incarcération que j'endure et qui m'empêche de tenter de consoler ma vieille mère et tous les miens. Rien, ni personne ne peut mettre en doute nos sentiments de bons français.

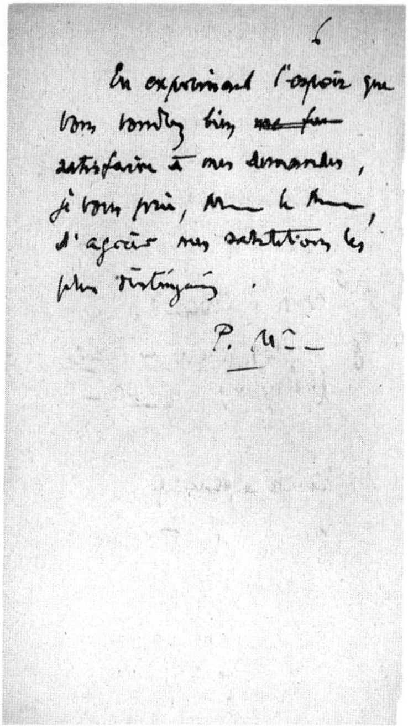

6

En exprimant l'espoir que vous voudrez bien ~~me faire~~ satisfaire à mes demandes, je vous prie, Monsieur le Maréchal, d'agréer mes salutations les plus distinguées.

P. [illegible]

Lettre du père de Guy au maréchal Pétain

12 Juin 1956.

Mon cher Moquet,

De tout cœur, je m'associe à votre chagrin. Je ne vous ai pas oublié, depuis Alger, et je n'ai, certes, pas perdu le souvenir de votre jeune fils Guy, mort si bravement et noblement pour la France. Madame Moquet, elle aussi, prit part à votre combat.

Veuillez croire, mon cher Moquet, à mes sentiments bien cordiaux et très attristés.

C. de Gaulle.

Lettre du général De Gaulle au père de Guy, 12 juin 1956

lettre, lis la lettre, dont une copie se devait d'attirer l'attention du touriste qui ne connaissait rien de rien à cette histoire. Cette lettre me faisait peur. Ce pouvait être moi, mon meilleur ami, que l'on venait chercher. «Je vais mourir [...]. Ce que je vous demande, à toi en particulier petite maman, c'est d'être très courageuse [...]. Dix-sept ans et demi, ma vie a été courte, je n'ai aucun regret si ce n'est de vous quitter tous [...]. Peur aussi qu'un drame ne s'abatte sur Esther. Petite maman [...].»

Ce jeune homme, pourquoi tant de courage dans ces yeux...? Des Français avaient accepté de dresser la liste des otages...? Maintenant, la peur s'est effacée. Au fil des ans, la colère s'est imposée. Cet enfant, n'avait-il pas mérité autre chose qu'une dizaine de photos tout au fond d'une station de métro, une plaque illisible rue Baron, l'hommage d'un lycée...? Combien de temps encore faudrait-il attendre pour qu'un musée de la Résistance soit élevé à Châteaubriant, et pourquoi pas une sculpture en l'honneur d'une jeunesse parisienne oubliée, qu'aucun piéton ne pourrait contourner sans être tenu de lever la tête.

Guy avait bien eu raison d'en profiter, dans ce XVIIe qu'il connaissait par cœur! D'ailleurs, à Châteaubriant, ça n'était pas sa dent gâtée, l'obligeant à se rendre chez le dentiste, menotté, qui le faisait souffrir. Pas davantage le manque de couvertures, ce froid qu'on redoutait avec l'arrivée de septembre ; Timbaud, un vrai père pour lui, négociait dur afin d'obtenir une doublure des toitures, mais ça traînait... Non, l'ennui, c'était le temps passé qui ne reviendrait plus. Sur son lit, en feuilletant un illustré, Guy venait de retrouver une photo déjà ancienne. C'était un vieux cliché, pris devant l'entrée de cette maison où il était né, le 26 avril 1924. Ses premiers pas dans le XVIIIe arrondissement. «Je me rappellerai ces douze années d'enfance que j'ai passées dans ce quartier du XVIIIe [...]. Je me souviens du jour où Louis est venu m'aider pour que je ne fasse pas signer mon livret à Papa [...]. C'étaient des moments d'anxiété : "fessées ou pas fessée", mais combien je voudrais les revivre!»

Le 23 janvier 1947, mon grand-père, Pierre Gaudin, est à Klagenfurt, en Autriche. Le procès du commandant nazi, Winkler, dit «le Jardinier», vient de s'ouvrir. Pierre est venu avec des notes, un acte d'accusation qui n'est, en définitive, que le récit, les souvenirs de son internement à Mauthausen, puis au camp sud du Loebl-Pass, où plusieurs centaines de déportés ont construit un tunnel entre ce qui est redevenu l'Autriche, et l'ex-Yougoslavie. Aujourd'hui encore, plusieurs millions de touristes, chaque année, empruntent ce tunnel, bâti par ces hommes transformés en esclaves. Les gifles. Les coups de schlague.

Chaque jour, des assassinats en public, pour se distraire, comme celui de ce jeune interné allemand qui avait tenté de s'évader. Repris, torturé devant ses camarades. Puis abattu par un SS d'un coup de revolver.

J'ai retrouvé toutes ces notes que Pierre ne m'avait jamais montrées. Je comprends mieux pourquoi Châteaubriant, la fusillade du 22 octobre, son évasion ensuite, sont restés des événements dont il voulait bien, parfois, nous parler. Tout le reste, l'arrestation encore, la torture rue Bassano, à Paris, puis le départ pour Compiègne, le train de nouveau, l'Allemagne, les camps, Dachau, Mauthausen, tout cela lui appartiendrait jusqu'au bout comme un secret impossible à partager avec les siens.

Mais Châteaubriant, Guy Môquet, Timbaud, David, Bastard, Ténine, les vingt-sept de la sablière, comme tous les autres de Nantes et de Bordeaux, tous ceux du Mont-Valérien, de la Santé, c'était la France, tout simplement, pour mon grand-père, il fallait que cela sorte par moments. Châteaubriant, le départ de Guy et des trois jeunes de la baraque 3 : «L'événement le plus tragique de sa vie, et qui revenait toujours», disait à propos de mon grand-père; son vieux copain de carrée à Choisel, le Nantais Henri Duguy.

Quant à sa santé, le fait qu'il ait tenu le coup, finalement, jusqu'au bout, jusqu'à son retour à

Nantes, là, Pierre m'avait bien fait rire, le jour de ces quelques confidences, passage Pommeray :

– Tu veux vraiment que je te dise…? À Châteaubriant, chaque dimanche, c'était pas la messe pour nous, c'était le sport et ça y allait, les tours de piste… Guy, un as, Roger Sémat, son copain, se mettait minable… Je l'ai vu s'écrouler à la fin d'un 400 mètres… Il avait compris… Les courses… Le volley… La marche… Jusqu'au ping-pong, qu'on installe fin juillet, je crois.

– Tu avais quarante-trois ans… Tu brillais encore?

– Si je brillais…? Je veux! Je brillais, je luisais au soleil même, en regardant tous les copains s'activer… Il faut dire qu'on avait bien fait les choses. En juillet, il avait fait une telle chaleur, qu'on sortait tous des baraques, on mettait les bancs dehors, quelques tables, les gendarmes suivaient le spectacle, mousquetons dans l'herbe ou sur les cailloux. C'était dimanche et il y avait même des passants qui se collaient le nez aux fils de fer.

– Tu vois, j'ai peut-être bien fait de ne pas trop m'user la santé à ce genre de spectacle…

Le 27 juillet 1941 est un dimanche. Un temps superbe, un peu frais peut-être, mais Guy s'en fiche pas mal. Toujours pas de bon cidre à table. Ils sont tout de même culottés quand on voit ces pommiers. Ce matin, les copains de la 10 se sont frottés les yeux. Avec son gros tricot gris à manches longues que Juliette lui a renvoyé, fraîchement nettoyé, Guy, en slip de bain, est allé faire quelques tours de piste, simplement pour se dégourdir les jambes. C'est dimanche, et Guy a bien l'intention de remporter le 400 mètres. Vers sept heures, il est retourné dans sa chambre pour distribuer le jus aux copains. Timbaud, Roger Sémat et Rino Scolari s'en pincent encore. Après, quelle fête ç'a été!

Tintin, comme toujours, a fait le speaker. Il a du coffre, le métallo Timbaud, et de la repartie. Guy avait juré à son petit frère, Serge, qu'avec son vélo tout neuf, il pouvait faire un saut à Châteaubriant; tout était prêt pour les «six jours sur la piste», comme à Paris! Timbaud, il ne manquait jamais de saluer Juliette quand Guy lui écrivait. L'amitié entre la famille Môquet et les Timbaud remontait à plusieurs années. Il n'y avait pas que la politique et le syndicat. À vingt-cinq ans, on aime encore danser. Timbaud, les copains l'avaient toujours appelé Tintin. Il était du passage d'Angoulême, dans le XXe. Pour la fête, il filait souvent dans une petite guinguette de la rue de Ménilmontant. Ses amours, c'était rue de Lappe. Plus tard, secrétaire du syndicat CGT des métaux de la région parisienne, il n'aurait plus trop le temps de danser. Pourtant, il rigolerait toujours, jusqu'au bout, c'était dans sa nature. On le voyait de loin, avec son gros paquet de cheveux noirs, lissés à l'eau de

Cologne. Un seul vêtement, une cotte, lavée et relavée, et cette pipe bourrée de tabac gris, souvent éteinte, qu'il agitait dans le vent, pas content, quand il était question de négocier avec le chef du camp. Beaucoup de jeunes filles se demandent parfois, un peu pressées, on les comprend, qui était ce Timbaud dont elles croisent le nom dans la nuit ou l'aube d'un accouchement, quand il est grand temps d'arriver à la clinique des Bleuets. C'était en 1936, les syndicats avaient de l'argent, et Timbaud avait pris la décision d'acheter la polyclinique. Dans les familles ouvrières, on y est né en pagaille! Timbaud était incapable de mâcher ses mots, et le syndicat l'avait écarté, en 1935, parce qu'on avait estimé, dans l'appareil, qu'il «s'égarait»! Sans boulot, il était allé faire le balayeur, à la mairie de Gennevilliers. Très vite, les gars du syndicat étaient venus le reprendre. Il avait accepté.

Parmi les otages de Châteaubriant, Guy est le seul à avoir été cité à l'ordre de la nation. Dès 1944, le général de Gaulle signe le décret qui fait de lui un résistant à part entière. Il faudra qu'un jour on se penche vraiment sur la dose de courage, et le dévouement envers les autres, dont fit preuve Jean-Pierre Timbaud, le 22 octobre 1941. Guy a dit et répété dans le courrier qu'il adresse à sa mère, que Jean-Pierre Timbaud se comportait comme un père, parfois

142

même le grondait, cachant ses cigarettes afin qu'il puisse en profiter davantage.

Les jeunes, c'est vrai, il fallait aussi les pousser un peu pour qu'ils envisagent d'embellir la baraque, de planter des fleurs à l'extérieur. Il fut beaucoup plus que cela, au moment de partir vers la carrière. Un homme qui va mourir et dont la force de détachement est telle qu'il parvient à se donner encore à celui qui en a peut-être le plus besoin : Guy Môquet.

La fille de Tintin était une enfant, en 1941. Jacqueline se souvient avoir accompagné sa mère, porte de la Chapelle, à deux rues de leur appartement, et c'était si long, parfois, de trouver l'eau de Cologne parfumée aux œillets. Cette demande ne tolérait aucun compromis de la part de Timbaud. D'ailleurs, les jeunes femmes qui rejoignaient le camp de Châteaubriant, début septembre, le savaient bien. Tintin raffolait des œillets. Un matin, tout près de l'infirmerie, Odette et Paulette, les inséparables, croisent Timbaud et Charles Michels, le député du XVe. Jean-Pierre les attrapent toutes les deux par le bras :

– Il faut que je vous embrasse. Vous ressemblez trop à ma fille… Elle se fait du mouron avec sa mère, rue Riquet…

En partant, les filles avaient promis. S'il arrivait malheur à Jean-Pierre, des œillets sur sa tombe, simplement des œillets.

143

Maintenant, sa voix fait le plus grand bien à ce marcheur, Gaillard je crois, qui boucle les trois kilomètres en dix-sept minutes. Le soleil est déjà haut, et ça tape fort. Ce Gaillard, il faisait déjà des compétitions, au Mans. Il enfile les tours de piste comme s'il avait fait cela toute sa vie. Derrière, on a beau s'accrocher, ça capitule, les uns après les autres. Le spectacle affiche complet. On a sorti les lits, quelques planches. Les détenus qui ne participent pas sont à l'aise pour regarder, haut perchés. Et comme Timbaud s'époumone à scander le nom du marcheur, en tête, c'est tout le public qui reprend en cadence. Derrière les barbelés, quelques bancs, des gendarmes se posent, tranquilles. Leur passion est visible au moment des courses comiques. Il faut dire que la course à la valise n'est vraiment pas triste : deux tours de piste doivent suffire aux coureurs ; une valise dans une main, un bon rythme dans les jambes, il faut enfiler un pantalon, mettre la veste et, enfin, la cravate. Guy et Roger se gondolent.

Guy avait bien fait de sortir à la fraîche, ce dimanche. Une vraie lame. Le Dr Ténine l'a rassuré sur sa dent qui lui fait si mal. Et il n'oublie jamais de prendre les vitamines que le médecin lui donne, chaque matin, au moment du café. Guy remporte le 60 mètres devant son copain de chambre, Maurice Simondin. Sa culotte est déchirée, mais la victoire est là, belle, devant tout ce monde. Un bon temps aussi sur cette distance : 7 secondes 60 centièmes. Auguste Delaune a tenu le chrono. Félicitations et, comme récompense, une savonnette, pour bien frotter sous les douches!

Une sorte d'allégresse contagieuse avait enveloppé le camp. Tant mieux. Les copains avaient passé une belle et bonne journée. Et ça n'était pas négligeable lorsqu'on se retrouvait ensuite face à Touya, qui jugeait, lui aussi, que les compétitions s'étaient déroulées en ordre et dans un assez bon esprit. Les visites, oui, pourraient être rétablies, dit-il à Timbaud. Le tabac? entendu, un paquet par semaine et pour chaque détenu. Les permissions pourraient être autorisées, en cas de décès des parents les plus proches. Du papier, quelques cahiers seraient achetés dès demain.

Guy, avec ses copains de la 10, et deux ou trois gars encore valides ont profité de la douceur pour s'offrir une dernière partie de volley. Il est encore temps de s'étirer au soleil qui descend. C'est «Choisel-Plage» notera, en plaisantant, le Dr Antoine Pesqué, dans une lettre qu'il adresse à son épouse, restée à Aubervilliers : «Cette semaine, à cause du soleil qui transforme en forum nos baraquements, j'ai fait mes cours dans l'herbe, sous les pommiers; ainsi revivait la douceur des jours antiques qui virent les philosophes enseigner en marchant à l'ombre des portiques, si du moins il est permis de comparer aux très grandes choses les choses toutes petites.»

Guy, en tout cas, avait bien mérité de fumer sa Celtique, avec Jean Mercier, l'un de ses bons copains dans la baraque. Ce soir, un air de famille traverse l'une des tables de la 10. Guy a oublié ses aigreurs d'estomac, son hoquet. Avec Rino, le frangin italien, Roger, le meilleur de tous à l'harmonica, Maurice et Tintin, ils ont dîné en pensant à toutes ces étoiles, qui piquent le ciel, dehors. Les haricots verts, avec un peu de beurre rance, ont été, ce soir-là, les meilleurs haricots verts du monde. Les tomates et les abricots que Juliette a envoyés sont peut-être un peu abîmés, qu'importe, on les apprécia drôlement! Un bon verre de vin pour Guy, et, au dessert, Tintin a sorti de sa manche un beau melon que sa douce lui a glissé dans un paquet. Le melon s'est parfaitement divisé en cinq.

Guy n'aimait pas trop rester allongé, sans rien faire, sur son lit. Ça me donne le cafard, disait-il à Juliette. Il fallait qu'il écrive, toujours, et ça le rendait fou, cette restriction, quinze lettres par baraque, trois lettres par semaine. Fallait prendre son tour. Et à la 10, ils étaient quarante-cinq! Alors pour tuer le temps, sans lumière, dès vingt et une heures, il avait sorti son harmonica et improvisé un duo avec Roger Sémat, un vrai scout. «Tu en as de la chance d'avoir une mère comme ça», lui disait Roger. Guy, il savait bien qu'il avait de la chance. C'était elle, Juliette, qui lui avait arrangé le coup à Roger. Guy avait le sien. Juliette en avait donc acheté un autre, quarante et un francs, qu'elle avait mis dans un colis. Les deux copains s'étaient débrouillés. Avec le prix de l'instrument, Guy avait récupéré un peu d'argent. Ils avaient joué jusqu'à vingt-trois heures, dans la nuit pour ne pas provoquer le sous-lieutenant. Touya, il tirait en l'air quand il voyait de la lumière dans une baraque, après vingt et une heures.

Le lendemain, trente-cinq détenus étaient arrivés de la région parisienne. Pour les cours, il y aurait un nouveau, capable d'enseigner le français : Huynh Khuong An, licencié en lettres, professeur à Versailles. Fusillé, quelques semaines après son installation au camp. Le sous-préfet Bernard Lecornu avait raison : Châteaubriant, en effet, ça n'était pas le bagne. C'était un camp de concentration, administré par des représentants du gouvernement français, soumis aux conventions internationales mais, très vite, dirigé en direct par les Allemands. Le goût de vivre des prisonniers, les structures qu'ils avaient été capables de mettre en place, ne pesèrent pas bien lourd quand les nazis, sur ordre de Berlin, dressèrent une nouvelle baraque, celle des otages, la 19!

Jusqu'à présent, les brimades étaient pénibles, humiliantes, mais supportables pour le plus grand nombre : destitution des médecins prisonniers, suppression des visites pendant trois mois, confiscation des postes de TSF, mitard, suspension de la cantine, interdiction des manifestations sportives, ou, pour les femmes, d'aller chanter, là-bas, sous un pommier, si près de la route. La nuit du 13 au 14 juillet n'avait été qu'un avertissement; une vingtaine de soldats allemands, accompagnés d'officiers, avaient pris position autour du camp. Interdiction de sortir. Et, de dix heures trente à six heures le matin, deux mitrailleuses regardaient la ville, une autre la campagne. Il avait fallu étiqueter les lampes de poche à son nom, les remettre au capitaine «À partir de ce soir, si je vois une lumière, je tire dedans», avait lâché l'officier allemand. Son français était peut-être assez loin de la perfection, mais tout le monde avait saisi le message!

Maintenant, c'est une autre histoire qui démarre. Celle que célèbre *Paris-Soir*, pleine page, le 24 octobre 1941, reproduisant la déclaration de Pierre Laval, chef du gouvernement, au terme de son entrevue avec Hitler, un an auparavant, à Montoire : «Je ne connaissais pas le chancelier Hitler. Je ne parle pas allemand. Le chancelier ne parle pas français. Mais je défendais ma patrie. Il pensait à la sienne [...] et nous avons fini ensemble par parler un langage nouveau d'Européens.» 1941. Depuis mars, Vichy a mis en place un commissariat général aux questions juives, confié à Xavier Vallat. En route pour l'aryanisation des corps et des esprits. Vichy, sans l'aide des nazis, crée de toutes pièces un statut du juif qui le prépare à partir vers la mort. Quarante mille juifs étrangers ont déjà été raflés. À Paris, on peut désormais se «protéger» du juif, en allant voir au Grand Rex *Le Juif Süss*. Doriot est sur le pont. Il s'apprête à partir avec un contingent de la LVF. Pucheu est le nouveau ministre de l'Intérieur.

Les nouvelles, même en différé, parviennent aux détenus de Châteaubriant. Un gars de la cantine a pu sortir pour le ravitaillement, un autre est allé chez le dentiste. Et quand, par hasard, Touya aperçoit en ville quatre gendarmes en train de casser la croûte avec un prisonnier qu'ils accompagnent, ça barde, et il faut vite rentrer au camp ! Dans ce cahier qu'il a tenu quotidiennement à Châteaubriant, le détenu Pierre Rigaud, ne s'en tient pas aux cas de gale qu'on a signalés, dans certaines baraques, ni à l'interdiction de jeter des ordures un peu partout, ou même d'uriner autour des baraques. La nouvelle du jour a été lue dans les journaux : «À la suite de l'assassinat d'un soldat allemand à Paris, tous les emprisonnés au compte de l'Allemagne sont considérés comme otages. Au cas où de nouveaux actes seraient commis contre l'Allemagne, des otages seront fusillés.»

«Pour des apprentis fusillés, pour des morts en sursis, notre moral est assez bon», notait Rigaud en conclusion de sa journée. N'empêche. Le glissement progressif vers davantage de violence et de tension au camp venait de s'amorcer. Il y avait eu l'aspirant de marine Moser, au métro Barbès, à huit heures du matin, abattu par Fabien. Il y aurait bientôt le Feldkommandant Hotz, descendu de deux balles dans le dos, à Nantes, à deux pas de la cathédrale. La donne n'était plus la même pour les prisonniers de Châteaubriant. Et le froid de loup qui s'installa, début septembre, sur la Bretagne, ne présageait rien de franchement bon.

L'une des dernières grandes distractions que Guy assuma avec beaucoup de sérieux coïncide avec l'arrivée surprise et belle, mi-septembre, de quarante-six femmes. Parmi elles, des jeunes filles qui aimaient rire, courir, et s'amuser, malgré la captivité. Paulette, Marie, Andrée, Odette. Elles vont d'un seul coup se blottir tout au fond des préoccupations des plus jeunes du camp. Rien ne serait possible. Mais ceux qui le voulaient bien pouvaient rêver. Et question rêve, on pouvait faire confiance aux jeunes de la 10! C'est à Châteaubriant que le «frérot» italien de Guy, Rino Scolari a connu son épouse, Jacky. Au début, on s'échangeait quelques mots, par-dessus la palissade qui séparait le camp des hommes de celui des femmes. Plus tard, si la vie nous autorisait à passer un jour par-dessus les fils de fer barbelés, il serait toujours temps de s'aimer.

La plupart de ces femmes ont été arrêtées le 13 août, avant même de pouvoir manifester contre l'occupant, gare Saint-Lazare. Une manifestation dénoncée à la police. Le rendez-vous, c'était au métro Richelieu-Drouot. Il fut assez commode aux policiers de vérifier l'identité de tous ces jeunes qui patientaient près de la station. Transférées au siège du ministère, rue Saint-Dominique dans le VIIe arrondissement, avant de rejoindre la Petite Roquette, une prison située à quelques dizaines de mètres de la Bastille. Quand elles débarquent à Châteaubriant, c'est la nuit. Onze heures, onze heures trente. Elles marchent, encadrées par une dizaine de gendarmes. Les précèdent d'autres détenus, transférés avec elles. Dans les baraques, on ne dort pas. Ils savaient bien les Timbaud, Môquet, Grandel, que les femmes rejoindraient le camp dans la soirée. Alors ils se sont bougés un peu, juste pour leur faciliter l'installation. Quand elles passent en file indienne devant une bonne demi-douzaine de carrées, les projecteurs qui balaient le camp les font passer de l'ombre à la lumière, comme des actrices invisibles. On aimerait tant les inviter. Et ça chuchote quand elles passent.

– C'est toi Odette…?

151

– C'est toi Marie... ?

– C'est toi Lucienne... ?

Elles poussent enfin la porte de la baraque, dans leur nouveau quartier adossé à la cuisine de Choisel, au sud du camp. Elles seront si près de la chambre des otages, la 19, dans quelques jours.

Il y a quatre grandes tables, disposées dans la pièce. Deux poêles se font face, à bonne distance, peut-être pour mieux répartir la chaleur. Quelques grosses boîtes de conserve ont été placées sur les tables. Une dizaine, avec à l'intérieur, des marguerites et des boutons-d'or. Pour ce soir, il faudra se contenter de paillasses, posées à même le sol. Mais les hommes ont fabriqué à la hâte des sacs de couchage avec du papier, en attendant les couvertures. Le voyage en train de Paris a été long. Le sommeil n'est certainement pas un obstacle supplémentaire pour ces quarante-six femmes. Demain, leurs voix vont forcément donner quelques couleurs au camp de Châteaubriant. Elles joueront à l'anneau, chanteront, en groupe, n'hésiteront pas à danser, tout près de la palissade. Pour Guy, qui n'en finit plus décidément de souffrir des dents, c'est l'aubaine. Les bavardages et les flirts vont bientôt le distraire. Mon Dieu, cette dent, elle lui fait sacrément mal ! Il a même pris le temps de détailler sa souffrance à Juliette, dans cette lettre datée du 15 août 1941 : «Ma Chère Petite Maman chérie, Je dois t'avouer que depuis deux jours, j'ai une rage de dent terrible [...]. Tu sais qu'il y avait un bout de plombage qui était parti, sur le côté; ou un petit bout de la dent je ne sais au juste. Toujours est-il qu'elle est gâtée. Ce n'est pas marrant, j'ai eu des élancements à se taper la tête contre les murs [...]. Je n'en pouvais plus tenir [...]. Par-dessus le marché cela m'a donné une poussée de fièvre, je suis donc resté couché toute la journée [...]. Inutile de te dire que j'ai toute la joue enflée, jusqu'en dessous de l'œil [...]. Ténine, le toubib, m'a dit que les cachets n'avaient une réaction que pendant quelques heures, et que puisque je n'avais plus mal, c'est que ça se guérissait [...]. J'en suis heureux, sois en sûre. J'avais peur qu'il me vienne un abcès [...]. J'ai mis mon cache-nez sur ma joue, de la sorte j'ai bien chaud [...].»

Très vite, ça ira beaucoup mieux. Un bon rhume aussi, courant septembre, ne l'empêche pas de gagner le 60 mètres, aux dépens de Roger. Guy en profite pour ramasser la mise : un paquet de Parisiennes et un bon pain d'épice. Bien sûr, les femmes sont totalement séparées du quartier des hommes. Il y a toutefois quelques «passages», rapides, toujours très chastes. On en profite pour se raconter la vie à Ivry, Paris ou Bagneux. Guy n'en revient pas d'avoir été arrêté depuis près d'un an maintenant. La vie civile, le petit intérieur de la rue Baron, la vitesse, le vent dans le dos avenue de Saint-Ouen, tout cela paraît si loin maintenant. Il le dit comme ça vient, à Marie, qu'il revoit pour la première fois depuis que son fiancé, André Bréchet, a été décapité, dans les caves de la Santé. Marie, c'est un peu comme la grande sœur qu'il n'a pas eue ; la copine de celui qui l'avait emmené traîner ses guêtres dans les rues du XVIIe. À l'époque, Prosper étant en détention, Guy avait bien dit à Juliette : «Bon, je dois le remplacer maintenant», André l'avait aidé. Marie, en arrivant au camp, avait reçu un gros bouquet de fleurs de la part des copains.

Guy l'embrasse. Il pleure comme un gosse cette fois. Tous les deux, ils parlent. Chaque soir Seuls, ou avec Odette que Guy a remarquée dès son arrivée. Marie est tellement contente de pouvoir évoquer le bon temps de la rue Balagny, *Chez Courtex*, quand ils se retrouvaient pour les bals des pionniers.

– Tu verras, lui dit Guy, ce temps-là reviendra Courage.

– Je voudrais bien te croire. Mais André n'est plus là.

Leur tristesse ne dure jamais. Se frapper, ça n'en vaut pas la peine. Blessés ou inquiets, ils ne s'en donnent même pas l'autorisation :

– Alors, tu me les donnes ces chaussettes à recoudre... ?

Guy lui a également montré quelques lettres de Juliette.

C'était comme ça à la palissade Quelques planches croisées les unes sur les autres. Le jour, on ne se gênait pas, à la 10, pour aller faire un tour de l'autre côté. Mais le soir, il fallait demeurer prudent. On se contentait de flâner. Les mots avaient leur importance à ce jeu-là. L'un des plus jeunes avec Guy, l'étudiant Claude Lalet, faisait toujours très fort. Il avait conseillé aux filles de découvrir la poésie de Pierre Louÿs. Claude préparait une licence de lettres, à la Sorbonne. Et puisque Mme de Ferronays, marquise à Paimbeuf avait encore offert des livres à la bibliothèque du camp, pourquoi se gêner. Elles avaient bien rigolé les filles. C'étaient toujours les mêmes, qu'on retrouvait, le nez collé à la palissade. Guy, Roger, Rino, Claude. Guy, dix-sept ans. Claude, vingt et un. Pour une fois, le tombeur de la rue Baron avait trouvé aussi séduisant que lui. Claude, c'était vraiment pour rire. Même avec ses beaux yeux verts. Sa copine faisait le siège de la préfecture, à Châteaubriant, pour qu'il soit libéré le plus vite possible. Ils devaient se marier. Cette palissade, il était dit que Guy Môquet s'en arrangerait pour bricoler un poème, en alexandrins. Le texte était adressé à ses camarades. Mais surtout à son ami Claude, pour lui faire comprendre qu'il n'était pas dupe de son manège!

155

«À mon ami Claude [...]
Si vous voulez savoir, Monsieur, ce que je pense
C'est une grande joie et un plaisir immense
Que vous me procurez, soyez-en convaincu!
Chaque jour, chaque soir, vous venez assidu
Taquiner, quelquefois d'un esprit un peu fade,
Ceux qui, placidement, sont à la palissade.
Et Claude, ce zéro au regard séduisant,
Se trouve, parmi tous, le plus intéressant!
Mais pour l'être encore plus, il a fait un poème,
Ce qu'il a voulu dire il ne le sait pas même!
Pauvre petit esprit, pauvre petit cerveau
Qui a dénaturé ce qu'il est de plus beau.
Dans les "pieds", c'est frappant ce qu'il est à
                                    [son aise,
C'est le restaurateur de la rime française!
Nous te félicitons pour ta capacité.
À ce soir cher ami, votre tout dévoué.»

La présence des femmes, et à la fois leur éloignement du quartier des hommes, avait donc modifié, jour après jour, l'humanité du camp. Toutes ces discussions, ces jeux, ces approches, créaient une forme de désir qui non seulement occupait l'espace, mais participait à négocier le temps des prisonniers. C'était à la fois léger et grave, anecdotique et doucement drôle, quand Marie ou Odette proposaient à Guy de repriser ses chaussettes, nettoyer son beau pull-over gris auquel il tenait tant. Roger en rêvait de ce tricot : les filles le lui tricotèrent avec de la laine rouge! Grave aussi, délirant même, quand Mme Kérivel proposa à l'officier allemand de partir à la mort avec son mari, plutôt que de fusiller d'aussi jeunes hommes. On le lui refusa.

C'étaient de jeunes adultes. Elles étaient de jolies femmes. Le désir était bien plus fort que le camp, même s'il ne fut certainement jamais consommé. Guy, parvenait à distance, par courrier, à régler, *via* Juliette, ses affaires de cœur, du côté de la région parisienne : «Tu me parles dans ta lettre d'un conflit entre Solange et Odette, je sais [...]. Solange vient faire des histoires là où il n'y a pas lieu d'en avoir. Si elle m'écrit, je ne lui dirai rien, comme cela ça coupera court à tout.» Il ne s'en laissa pas compter. Il ne fit rien d'autre que de montrer à Odette qu'elle lui plaisait bien, et qu'un jour, peut-être...

Le chef du camp, Touya, pouvait bien balancer quelques plaisanteries douteuses à ces hommes, privés de femmes depuis si longtemps, et certains gendarmes se rincer l'œil au moment des douches, les gosses de la 10, c'était bien autre chose. On se courait après, jusque dans les chambres respectives. Guy avait donné un petit nom définitif à Odette, sa conquête des yeux. Odette, c'était «Épinard», aussi grande, mince et vive que ce cheval de course qui faisait les beaux

157

jours des parieurs avant la guerre. Épinard allait si vite… pas facile de l'attraper… ce rouge à lèvres… ces cheveux blonds. Guy tenta l'aventure, jusque dans la carrée des femmes! L'imprudent se fit gronder. Margot, une copine d'Odette, était tout à fait nue quand le jeune Môquet déboula comme un fou :

– Tu m'avais promis un «patin»… tu l'avais juré… tu vois bien, tu ne tiens pas tes promesses!

Guy faisait à Odette le coup de l'harmonica. Elle lui racontait les *Paradis perdus* avec Pierre Fresnay et Micheline Presles. Et je crois bien qu'ils s'étaient donné rendez-vous pour plus tard, du côté de la rue Ordener, pourquoi pas, on irait danser dans cette guinguette, tout près du boulevard Ornano. Tu l'auras ton patin…

En même temps, cette vie nouvelle au camp faisait diversion à cette atmosphère chaque jour plus pesante, préoccupante surtout pour tous ceux qui avaient des informations. Guy promettait à Juliette qu'il avait un moral à cent cinquante pour cent, que le cafard, ça ne devait pas exister, et que Prosper n'en reviendrait certainement pas de voir à quel point sa chambre était rangée. Il faut dire que Guy avait fait de réels efforts. Il se levait tôt désormais, faisant le jus aux copains, sans rechigner ni aux corvées de ménage et d'épluchage. Mieux, il avait fait de son coin un vrai petit nid. De quoi mettre à distance tous les autres prisonniers. Une grosse quarantaine dans la baraque 10. Guy avait découpé du papier bleu, piqué de petits trèfles à quatre feuilles, qu'il avait soigneusement déposé sur ses étagères. Ses objets préférés se voyaient de très loin désormais : ses cahiers, un bloc de papier – il faudrait en demander à Juliette –, le briquet à essence, sa casquette en laine, quelques petits dessins que Serge lui faisait parvenir. Sur la planche aussi, les trois bouteilles d'encre. La photo de Prosper encadrée, sous verre. Au-dessus de son lit, collées sur un losange de papier, toutes ses autres photos. Maman bien sûr, dans la baraque avec Serge, le jour où elle était venue le voir. Assise entre ses deux fils. Et puis tous ses copains de la 10. Rino, Maurice Simondin après une bonne course au soleil, Roger, Jean et Tintin, tous ces copains souvent beaucoup plus âgés que Guy, et dont l'affection, parfois la rudesse, toujours l'attention, lui avaient permis vraiment, de tenir le coup dans le camp.

Déjà la fin du mois de septembre. Les nouvelles s'accumulent. On a bien cru apercevoir, au mois de juillet, des soldats allemands, renforçant les barbelés, doublant même les croisées d'une baraque réservée à des droits-communs. Depuis le mardi 23 septembre, dix-huit prisonniers sont isolés. C'est la baraque 19. À l'extrême sud de l'enceinte, tout près d'un portillon. Une sanction, explique le sous-lieutenant Touya, programmée depuis l'évasion du 18 juin. Fernand Grenier, Hénaff et Léon Mauvais étaient parvenus à fuir. Roger Sémat, en permission, n'était pas rentré.

– Pas d'affolement. Les fêtes sportives vont continuer le dimanche, et les gars de la 19 pourront y assister.

Tout de même. Ce qui se joue à l'extérieur n'est pas vraiment rassurant. La loi sur les otages, promulguée le 23 août par les autorités allemandes, n'a pas suffi. Les tribunaux spéciaux de Vichy se chargent du reste : le 25 septembre, Jacques Woog, Adolphe Guyot et l'ancien député de la Seine, Jean Catelas, ont été guillotinés dans la cour de la Santé. Fin août, d'Estienne d'Orves était exécuté avec deux de ses compagnons. Les baraques changèrent de numéro. Pierre, mon grand-père, et Henri Duguy soulevèrent dans la 3 un bon paquet de lits et de couvertures. Tous ensemble, ils voulaient participer à l'installation des copains dans leur nouvelle carrée!

Maintenant, ce sont des jours de grand beau temps, froids, mais qui donnent envie de préparer la chorale. Dimanche doit rester dimanche. Mais Guy n'a pas le moral : «Un an déjà s'est écoulé depuis mon départ de la maison. Combien de temps s'écoulera-t-il encore jusqu'à mon retour. Enfin peu importe la durée; le même courage, la même confiance sont toujours en moi. J'espère qu'il en est de même pour Papa, qui, voilà déjà deux ans passés de quelques jours, nous quittait lui aussi!»

Guy Môquet était drôlement à l'aise avec la poésie, le sport et les filles, me dit un rescapé de Châteaubriant. Guy, surtout, aimait trop sa jeunesse pour avoir l'impression qu'il allait mourir aussi vite. La catastrophe, il ne la devinera qu'au dernier moment, à l'instant exact où le chef de camp, Touya, débarque dans sa baraque avec quatre SS armés et casqués. Pas avant. Longtemps, j'ai pensé que ce récit ne pourrait certainement pas faire l'économie d'un nouvel état des lieux, précis, implacable, définitif, des responsabilités françaises dans ce qui va maintenant se jouer à deux kilomètres du camp. J'avais tort. Ces responsabilités ont été établies depuis fort longtemps, et il me semble que ce que Guy jette à l'histoire, la décontraction de Tintin, la classe de Ténine, Charles Michels qui dit non à la révolte, un bouquet de fleurs déposé dans la nuit à la sablière, ou cette *Marseillaise* qui crève les rues de Châteaubriant, valaient tout de même beaucoup mieux qu'un nouveau, et trop long, travelling sur Pucheu et sa bande. J'ai fait mon choix. Ce sera bref. Plutôt cette jeune fille de seize ans qui vient chercher les planches des otages, que la défense, quarante ans plus tard, d'un sous-préfet, Bernard Le Cornu, qui envoie cette note le lendemain de la fusillade : «Le mardi

161

21 octobre, vers la fin de la matinée, la nouvelle arrive à Châteaubriant de l'assassinat à Nantes, du Feldkommandant Hotz [...]. Au même moment, le Kreiskommandant de Châteaubriant se présente au camp de Choisel accompagné de Feldgendarmes. Il saisit tous les registres du camp et, en particulier, le registre très nominatif des internés. À peine informé de ces faits, je me rends à la Kreiskommandantur. Je constate que les autorités allemandes ont relevé, semble-t-il au hasard, deux cents noms sur la liste du camp et les ont retenus comme otages susceptibles d'être fusillés. Je fais observer à l'officier représentant le Kreiskommandant que les autorités françaises désirent que l'on tient compte pour le choix des otages du dossier des internés et que l'on retienne de préférence les plus dangereux et les moins chargés de famille [...].»

Il y a encore mieux : une lettre découverte après la Libération, dans les archives de la Kommandantur de Châteaubriant, adressée aux autorités allemandes, le 20 octobre, par le sous-préfet : «Comme suite à notre entretien de ce jour, j'ai l'honneur de vous confirmer que M. le ministre de l'Intérieur a pris contact avec le général von Stülpnagel afin de lui désigner les internés communistes les plus dangereux parmi ceux qui sont actuellement concentrés à Châteaubriant. Vous voudrez bien trouver ci-dessous la liste de soixante individus fournie à ce jour [...].» Arrêtons là. Bernard Lecornu a toujours affirmé qu'il n'était pour rien dans la désignation des otages. La commission d'épuration du ministère lui a donné raison. Pour son rôle joué au contact des résistants en Corrèze, l'ancien sous-préfet fut décoré de la médaille de la Résistance avec rosette. Dommage simplement que M. Le Cornu n'ait pas cédé, dès 1941, à ses premiers élans : «Au camp de Choisel, je trouvai une immense pagaille et pris les premières dispositions, puis je rentrai, pour étudier de nouveau mon départ pour l'Angleterre. À ce moment, je pense qu'il était encore possible de quitter Châteaubriant. Pourquoi ne l'ai-je pas fait [...]?» Oui, pourquoi?

Restent les autorités françaises... Pucheu, ministre de l'Intérieur depuis le 18 juillet 1941, Chassagne et l'un de ses chargés de mission. Pucheu. Parfois la réussite des pauvres ne console pas des origines. Normalien à seize ans, licencié en lettres à dix-neuf, très vite déçu par les «turnes» de la rue d'Ulm, Pucheu, finalement, ressemble assez à ces personnages de roman que l'on croise au hasard de Nizan ou de Brasillach. Pour le héros d'*Aden Arabie*, c'était rouge et Moscou; pour le Patrice des *Sept Couleurs*, c'était la mystique noire et Berlin. Mais n'oublions pas que Drieu fut le meilleur ami d'Aragon avant que la guerre ne finisse par les déchirer. Quand on sort d'un cloaque tel que fut celui de la Grande

Guerre, que l'on rêve de changer le monde, c'était un temps où l'hésitation pouvait être légitime. Berlin ou Moscou. Fragile frontière. Pucheu fait sienne la profession de foi d'une partie des institutions financières : «Plutôt Hitler que le Front populaire.» Dès 1934, Pucheu, dans les affaires et qui a tout de même d'autres ambitions que l'enseignement, choisit donc Hitler. Sans états d'âme, il envoie le 13 octobre, à Châteaubriant, un homme au physique de déménageur inspecter les lieux, représenter le gouvernement : Chassagne, ancien communiste, roué aux virées antimilitaristes des années trente du côté d'Ivry et fin connaisseur de quelques-uns des internés. Chassagne, ancien secrétaire du syndicat des techniciens et de l'Union des municipalités. Aujourd'hui, il représente le gouvernement. Et forcément, le face-à-face survient. Dans la baraque 9, Chassagne tombe sur Granet, un ancien copain du syndicat. On est un peu surpris autour des deux hommes. À commencer par le préfet qui observe le tutoiement ·

– Toi ici...

– Oui, moi ici... Où tu serais peut-être, si tu n'étais pas passé de l'autre côté!

– Qu'est-ce que je peux faire pour toi?

– Pour moi, rien... Mais pour nous tous, les politiques, nous refiler des couvertures, doubler nos cloisons, et faire que nous soyons traités au moins aussi bien que les souteneurs...

– Je verrai ça… Je te promets que j'essaierai de faire quelque chose.

Chassagne le fit. Quatre jours plus tard, Granet et Jean Poulmarch rejoignent la baraque 19. Maintenant, ils sont vingt à redouter le pire. Ils en sauront vraiment davantage, dès le lundi 20 octobre. L'exécution du colonel Hotz, à Nantes, est maintenant connue. Trois officiers allemands débarquent brusquement dans le camp à bord de leur traction. Inspection des lieux. Conversation avec Touya. Le soir, de l'autre côté des barbelés, ce sont les SS qui assurent la garde désormais. Les Allemands ne font plus confiance aux gendarmes français. À la 10, Guy, Roger et Rino ont encore envie de se marrer avec ce papier bleu qu'ils ont placé derrière les croisées de leurs fenêtres. Comme ça, ils peuvent tout de même allumer, se parler, jouer de l'harmonica. Ni vu ni connu. Sauf que, dans la nuit, une sentinelle allemande tire dans la baraque. Une balle se fige, nette, dans la cloison à hauteur d'homme. Mais tout le monde dort!

L'information est donnée le lendemain à Charles Michels. Un gendarme qui a beaucoup bu, pour se donner du courage, s'est traîné en assez piteux état, jusqu'à la carrée. La 19.

– Il y a eu un attentat à Nantes, hier matin… Hotz a été tué… Les Allemands vont tuer cinquante otages… Une trentaine, rien qu'ici…

Michels a compris. Au même moment ou presque, le téléphone fonctionne beaucoup entre Paris et Châteaubriant, le ministère de l'Intérieur et la sous-préfecture. On peaufine les listes.

Un jeune homme, dans le camp, finit sa vie.

Tous ces jours d'octobre, fier à bras sur son vélo rue des Moines ou place de Clichy, il n'avait pourtant pas l'oreille assez politique pour deviner vraiment ce qui se préparait dans son dos. Certes, il n'était pas le seul, et, quand le moment sera venu de saluer les copains, quels qu'ils soient, ils ne le feront que du bout des lèvres, pétrifiés par tout ce qui les attendait de douleur et de renoncement, si vite. En octobre donc, jusqu'au bout, Guy a joué, chanté, aimé Odette, et pensé souvent à son petit frère, lui bricolant quelques projets d'avenir. C'était tant mieux si Serge pouvait se détendre au cirque Amar, de passage dans le XVIIe, tant mieux encore si Juliette avait le courage de l'emmener voir Guignol au Luxembourg, c'est vrai quoi, il le méritait bien. «Alors, Juju a repris le chemin de l'école. Le voici en 5e! Il faut qu'il se dépêche d'apprendre sa table de multiplication car, sans cela, il ne pourra pas suivre!»

Guy s'inventait un rôle de père. Les cheveux gominé, il rejetait pourtant au loin toutes ces années, quand il préférait l'ivresse de la rue, au sérieux des études. Mais c'était déjà un papa poule à dix-sept ans, se désolant de savoir que son frère avait les oreillons et commençait l'année par des jours d'absence.

Nous étions le 15 octobre 1941, puis le 17, le 20, et Guy, imperturbable, achevait sa passion pour ce que nous considérons tous aujourd'hui, à des degrés divers, comme de petites choses de la vie sans importance, et qui suffisaient largement au bonheur de Guy : «J'espère que vous êtes en bonne santé et que Julot est complètement guéri [...]. Il ne faut pas que j'oublie de faire un mot à mémère et mes tantes. Embrasse-les bien fort pour moi. J'ai été heureux de recevoir hier ta longue lettre [...] certes voilà un an que je suis parti! Mais la confiance est là et l'espérance du retour ne me quitte pas. Patiente et tout reviendra comme par le passé! Le paquet de tabac n'a pas eu de mal [...] mille fois merci petite maman [...]. Je suis heureux de savoir la date de l'anniversaire à Juju, je vais lui dessiner des fleurs et lui écrire quelque chose, j'espère que cela lui fera plaisir [...]. J'ai bien reçu la veste, le caleçon, les chaussettes et la laine [...]. Maintenant, avec une culotte bien chaude, je serai paré pour l'hiver. Nous allons la sauter dans nos baraques en planche où l'air passe comme il veut! [...]»

Le 21 octobre 1941 est un mardi. Le courrier est plus rare, toute manifestation sportive interdite, et les détenus consignés de vingt et une heures à neuf heures dans les baraques. Mais la palissade était toujours debout. Ses vieilles planches croisées les unes sur les autres, comme à l'entrée d'un champ qui nous a si souvent protégés de l'aboiement d'un roquet de ferme. La palissade. C'est un dernier après-midi entre Guy et Odette. Elle revient de son cours d'espagnol, on dirait la récré au collège. Pour la première fois vraiment, il est tourmenté :

– Tu sais, Odette, il se passe de drôles de choses depuis hier. Je ne sais pas vraiment mais… On parle d'otages… Tintin n'a pas l'air de s'en faire…

– Tu es toujours un peu pessimiste… Sois tranquille… Il n'arrivera rien…

– J'ai peur un peu tout de même ce soir…

– Arrête de te frapper, je te dis, et prépare la chorale de dimanche, avec moi, demain.

Très tard, Guy joue de l'harmonica sur son lit. À ses côtés, Roger, Rino et Maurice. Jean Mercier n'est pas loin. Dans la baraque des otages, on casse la croûte, les lits disposés en cercle pour mieux se parler. Autour de Charles Michels, Timbaud, Poulmarch, on décide de ne pas tenter le coup de folie d'une révolte. Non, on se ferait massacrer. Tous. À quoi cela pourrait bien servir. Timbaud aurait aimé pouvoir réfléchir. Mais tout est dit à trois heures du matin environ. Nous irons en chantant *La Marseillaise*, vous entendez, *La Marseillaise*, et ceux qui ne seront pas du voyage la chanteront après notre départ. Le mot était passé. Dans la nuit, les responsables des carrées, convoqués pour cette réunion, regagnent leurs baraques.

Jacqueline est une enfant. Treize ans et demi. Elle habite avec sa mère, Pauline, au 88 de la rue Riquet, dans le XVIIIᵉ arrondissement de Paris. C'est jeudi. Tant mieux. Comme il n'y a pas d'école aujourd'hui, Jacqueline rejoindra des copines à la piscine. Ce matin, Pauline l'a vraiment trouvé un peu bizarre, Paul, son boulanger, qui est si bavard d'habitude, et toujours à la chahuter pour faire le malin devant les clients. Paul n'a rien dit cette fois. Un pain, merci Paul, à bientôt, bonne journée. Depuis l'arrestation de Jean-Pierre, elle en mettait un coup pour que, à la maison, Jacqueline ait l'impression que la vie n'allait pas lâcher prise. Ils avaient été si bien, ensemble, tous les trois ces dernières années. L'appartement de la rue Riquet était vraiment minuscule... Une cuisine comme un couloir... Deux pièces en enfilade... Le salaire de Jean-Pierre était systématiquement reversé au syndicat... Oui... mais qu'est-ce qu'on était heureux!

Silencieux Paul, ce matin, et puis ce regard... Comme s'il avait décidé, à cinquante ans, de glisser un peu de mélancolie dans sa politesse de commerçant. Curieux...

Et ils en font une tête au travail! Pauline avait eu le temps de réfléchir un peu sur le chemin qui la menait à son atelier, rue de l'Hermitage. Une trentaine de personnes y étaient employées. Elle aimait bien son métier : mécanicienne et apprêteuse en chaussures. Si Jean-Pierre nous a envoyé une lettre en date du 20 octobre, on pourra fêter ça. Il n'aura pas été pris comme otage par les Allemands. Elle avait pensé à tout cela, Pauline, en revenant à la maison.

Et sa Jacqueline qui lui remontait une lettre de Tintin... !

Brusquement, après le silence de Paul, la gêne des filles à l'atelier, il y avait eu comme une ambiance de fête tranquille à la maison. Pas grand-chose, mais tout de même, la mère et la fille, privées du père adoré qu'on attend depuis si longtemps, avaient apprécié le bifteck de quatre-vingts grammes que Pauline avait trouvé. Jacqueline, si joyeuse, avait allumé le poste de TSF, et ça dansait, ça chantait dans trente mètres carrés d'impatience et de petits bonheurs. L'enfant, elle était si joyeuse de toutes ces bonnes nouvelles, qu'une tante, très pieuse, et qui venait de lire le journal avec les noms des fusillés, n'osa pas frappé. Impossible!

La porte ne s'ouvrira que sur cette femme en larmes, et dont Pauline finit par entendre les plaintes, sur le palier. Son mari, Jean, était interné lui aussi à Châteaubriant, un copain du poète Paul Éluard, rue de la Chapelle avant la guerre.

Pauline… Elle bredouillait… À Châteaubriant… Les otages… Vingt-sept… Tintin… il a été fusillé avec tous les autres… Toute une vie, Jacqueline se rappellerait que son père lui avait échappé définitivement un jour de repos scolaire. Un jour passé à oublier l'école, à nager, courir. Un jour qui donne envie de sautiller, de jouer à l'anneau, où il est permis d'espérer que tout ça finira bien par s'arrêter.

Je crois que Jacqueline n'a plus changé depuis cette journée du 23 octobre 1941. Dans mon souvenir, je l'ai toujours trouvée belle, comme sur ces photos qui la montrent sur l'herbe, devant le château Baillet que le syndicat avait acheté pour les métallos, avant la guerre. Entre son père et sa mère. Câline. Un visage légèrement arrondi sous un front haut, des cheveux denses, bruns – ceux de son père –, une bouche ferme et sensuelle, ouverte sur le soleil.

Je l'ai rencontrée pour la première fois au début des années soixante-dix, au cours de l'un des nombreux repas d'anciens résistants auxquels j'ai participé. J'étais un enfant. Mieux, j'avais cet âge qui avait coïncidé pour Jacqueline avec la découverte, foudroyante, de la mort de son père. Ainsi, sa seule présence, davantage encore que celle de tel ou tel rescapé, m'apportait une forme de proximité avec la mort de Guy et avec le drame de Châteaubriant. Sa beauté n'était pas figée, mais il y avait en permanence dans ses yeux une paille de colère sourde et distante, avec, en plus, la tristesse. Ce livre est aussi pour elle. Je sais la complicité des années avec Esther, ma mère. Il faut dire que le fait d'avoir risqué sa vie, à seize ans, en allant chercher ces planches découpées par les copains des fusillés, avait offert à Esther beaucoup plus que du respect. L'admiration des anciens. Pour Jacqueline, ma mère avait eu la chance de serrer la première contre son dos, les derniers mots de Tintin. Toutes les deux, jeunes filles, elles avaient dansé *Le Lac des cygnes* Comment ne pouvais-je mesurer l'importance de ces journées d'octobre 1941, dans la construction future de la vie d'Esther. Comment – quels que soient ses combats politiques que je ne partageais pas forcément – n'avoir pas été capable d'évaluer son amertume, sa maladie même, suscitées par la tolérance observée en France vis-à-vis des mouvements d'extrême droite. J'ai compris trop tard son désir fou de réunir les derniers survivants de Châteaubriant. Trop tard, par égoïsme sans doute, ou parce que les enfants ont vocation à s'éloigner, pour mieux revenir un peu plus tard. Hélas, bien souvent, au moment où le puzzle familial pourrait se reconstituer, certaines pièces sont manquantes. Esther meurt d'un cancer en 1989. Avec mon père et ma sœur

Françoise, nous étions près d'elle. Quand ses yeux ont fini par se fixer, comme pris dans la lumière des phares, il m'a semblé que tout cela n'était qu'une mise en scène. Que son départ, bien avant celui de mon grand-père, était absurde, injuste. En définitive, en la regardant allongée dans sa robe bleue, j'apercevais une nouvelle fugue, improvisée, apaisante. La fugue d'Esther, baluchon sur l'épaule – bolchevik en bottes de caoutchouc –, venant chercher à l'intérieur même du camp ces derniers morceaux de vie qu'elle cacherait pendant plusieurs jours. Je me promettais d'en faire le récit.

Guy avait simplement répondu présent à l'appel de son nom. Il était le plus jeune de tous, et le dernier, à avoir été appelé. Les préparatifs de l'exécution occupèrent la vie du camp pendant trois heures environ. Dans le mirador situé au centre de Choisel, la garde était désormais assurée par des soldats allemands. Quelques cris avaient été poussés dans la baraque 19, au moment où le sous-lieutenant Touya, un officier allemand et cinq SS traversaient le camp dans leur direction. «Ça y est, ils arrivent… Ils viennent nous chercher…!»
Ils ne s'étaient pas gênés, dans cette baraque promise à la mort, pour s'offrir jusqu'au bout quelques bons petits plaisirs : un peu de poisson cuit dans l'eau et préparé par Poulmarch, et

Michels. Poulmarch, il s'était fait un peu disputé pour avoir oublié de réchauffer l'eau du thé. On lui faisait remarquer qu'ils n'auraient peut-être pas le temps de le boire. L'eau est restée sur le feu. Tintin avait liquidé le reste des provisions : un colis de Pauline reçu la veille au soir. Et les trois paquets de Parisiennes du Dr Pesqué, il était grand temps de les fumer!

Il faudra se souvenir que le bruit des pas était double, parfaitement dissociable, sur le plancher, le long des baraques, frappé par le sous-lieutenant Touya, en alternance avec l'officier allemand. Cette fois, on peut apercevoir, à travers les interstices de la cloison, le fusil-mitrailleur placé de l'autre côté du camp, dans l'axe de la baraque 6. Au moment exact où les deux hommes prennent la direction de la carrée dite des «intellectuels», il y a déjà, près des châlits, dans ce garde-à-vous d'attente, comme un écho futur à ce que l'ancien proviseur de Carnot disait de Guy Môquet, et de tous ses copains tombés avec lui : «Nos fusillés sont bien nôtres. Nous gardons leur souvenir, leur gloire comme leurs beaux rêves. Réunis sous le hall Guy-Môquet, vous appartenez, comme nous, à toutes nos familles spirituelles : les uns cherchent à bâtir une société moins dure aux humbles; d'autres ont subi avec noblesse les humiliations et les persécutions de quatre années, d'autres, enfin, ouvertement chrétiens, appellent l'amour divin parmi les hommes.» Ces hommes de la 19 n'avaient redouté qu'une chose, dans la discussion du 21 au soir : fusillés ou décapités?

C'est le début de l'après-midi, et la réponse se tient devant eux, sur ce papier que Touya brandit à un mètre de l'officier.

«Messieurs, préparez-vous à sortir à l'appel de votre nom.»

Michels! Timbaud! Poulmarch! Granet!

Seize noms sont appelés.

Ténine, Auffret, Bourhis, Vercruysse...

Et quand ils traversent la partie centrale du camp pour rejoindre la baraque 6, les copains n'ont déjà plus l'envie de se séparer. À l'intérieur de la 19, six détenus ont été épargnés. «Nous nous regardons avec stupeur. La seule impression qui nous domine en ce moment tragique, c'est l'étonnement d'être encore là et de ne pas avoir été désignés pour subir le sort des autres camarades.» Timbaud n'a pas eu le temps de finir un petit coffret en bois promis à Jacqueline. Un copain va s'en charger.

Je suis retourné tout en bas du sentier qui conduit à la carrière, à deux kilomètres du camp. Je marche aussi, souvent, rue Baron, quand on débouche en plein soleil, sur le square de la porte de Saint-Ouen. Je me suis souvenu alors de tout ce qui s'est passé quand on a commencé à appeler les otages. J'ai voulu me souvenir à cause de ce vide dans la lettre envoyée par

Juliette à Prosper quelques jours après la fusillade : «Aujourd'hui 7 juin. Le 7 juin 1941, j'avais le bonheur d'embrasser Guy, je le quittais après deux jours passés avec lui, et c'était hélas la dernière fois. Mon pauvre Guy, cher grand gosse que j'adorais, pourquoi ai-je toujours eu peur pour lui... Pauvre enfant, pourquoi ne saurons-nous jamais ce qu'il a dit, ce qu'il a pensé aux derniers moments de sa vie.»

Guy avait repoussé jusqu'au bout la certitude qu'il allait mourir. On passait de baraque en baraque, la 1, la 3, la 8, la 7, la 9 et puis bientôt la 10, quand l'enfant terminait une lettre assez tranquille à sa mère. Il fallait bien la remercier de cette épaule d'agneau arrivée par colis express. Épatante! Avec le morceau qui restait, il pourrait casser la croûte. Ce fut la dernière lettre envoyée à sa petite maman chérie. Il prenait soin de tailler le M de Maman, une danseuse au coin du papier! Guy avait bien remarqué la présence des Allemands, gardant le camp depuis deux jours. Plus de lumière, le soir, pour jouer aux échecs, ou à la belote. Mais il n'y avait pas de quoi en faire un drame. «Tu me dis sur la carte de lundi que tu vas m'envoyer dès qu'il sera nettoyé un pantalon noir. Où l'as-tu eu, tu ne me le dis pas...» Guy avait conservé l'ambition de plaire. Et comme il était de corvée de chambre, ce 22 octobre 1941, il partagerait bien le boulot avec Roger. Un peu plus tard, après le déjeuner pris sur le pouce, son visage s'était transformé, tout doucement. Cette façon qu'il avait de devenir parfois mélancolique et absent, son père lui en avait fait gentiment le reproche dans l'un de ses courriers. La fatigue, répondait Guy. Avant lui, il y avait eu, à la baraque 3, l'extrême pâleur des deux jeunes Nantais, Bastard et David. Et cette phrase encore de Pierre, mon grand-père, aux oreilles de l'officier allemand qui n'entend pas : «Mais bon Dieu, vous n'allez tout de même pas fusiller ces deux gosses!»

J'avais attendu d'avoir quarante ans pour comprendre la force de ce geste, son incroyable générosité. Ces hommes qui partaient ils pouvaient avoir leurs défauts, mais ils n'avaient jamais attendu d'être en danger, malades, vieux, pour faire preuve d'une véritable humanité. Certains attendent toute une vie pour se tourner vers les autres. Pour Pierre et ses copains de Châteaubriant, le don de soi avait quelque chose de fulgurant. Il nous serait peut-être difficile de faire aussi bien. Cette histoire, et tout ce que Guy Môquet nous avait laissé, le temps d'une phrase sur les cloisons de la baraque 6, il faudrait en parler, et en parler encore. Plus tard, à Londres comme à Alger, Brazzaville ou Moscou, il serait toujours temps d'entendre à la radio ce qu'avait écrit Aragon dans la fureur et la clandestinité : «Ces hommes étaient prisonniers pour leurs idées, ils avaient défendu leurs croyances au

177

mépris de leur liberté. Ils s'étaient refusés à suivre l'exemple de ceux qui, se reniant par lâcheté ou par intérêt, sont passés dans le camp de ceux qu'ils combattaient la veille. S'ils avaient voulu les imiter, ils auraient pu, comme certains, revêtir l'uniforme allemand et être libres. Ils ne l'ont pas voulu. On les envoyait à la mort. Il y a eu dans le monde des hommes comme ceux-là, et même ceux qui ne croient pas en Dieu, ceux qui haïssent l'Église ne sont jamais à ce point entraînés par la violence anticléricale, qu'ils ne reconnaissent pas la grandeur, la noblesse, la beauté du sacrifice des chrétiens jetés aux bêtes, qui chantaient dans les supplices. Vous pouvez haïr le communisme, vous ne pouvez pas ne pas admirer ces hommes. Écoutez!...»

À la 10, il y avait un copain juché sur le tambour de la porte d'entrée. Toutes les fenêtres étaient obstruées par un lit, dressé contre la cloison. Maurice n'en revenait pas. Il avait bien vu, traversant le camp, Timbaud, bouffarde à la bouche, Michels, le petit Lalet. Grandel aussi, le maire de Gennevilliers, Pourchasse d'Ivry-sur-Seine...

Maurice faisait ses commentaires à Guy, qui ne l'entendait plus. Comme ça, Guy, sans raison apparente, il était allé embrasser Roger et Rino, très vite, avant de rejoindre son lit dans le fond de la baraque. Maintenant, il fouillait sur son étagère. Et quand la porte s'ouvrit, le nom

«Môquet» prononcé, ce fut sans surprise que le jeune homme se leva. «Présent!» Le ciel était bleu. Le froid coupant, qui promettait pourtant de baisser la garde. La douceur était attendue près des aubépines et des ronces, dans le dos de Guy. À deux kilomètres d'ici. «Présent!» À Carnot, vers la fin, il n'était plus très souvent derrière son pupitre pour prononcer le mot. Cette absence, combien de fois ses copains, Chalon et Cohen, ne s'en étaient-ils pas inquiétés auprès du proviseur... C'est vrai quoi, il les avait bien défendus avec son cartable, en 37! «Présent!» On me dit que Guy va s'évanouir, que c'est trop, toute cette vie qui s'en va maintenant, sans pouvoir parler à ceux qu'on aime. Guy se lève et marche droit dans la baraque, les yeux dans les yeux de Touya, avec ce délicieux parfum de défi que les mousquetons ne parviendront pas à faire taire. Il ne va plus jamais cesser de se lever. Avant de basculer vers la lumière du camp, le soleil est déjà haut, quatorze heures, se retourne et leur dit : «Au revoir les copains.» Ils sont une quarantaine à le regarder partir. On entend : «Courage petit.» Du courage, il en a toujours eu pour pédaler comme un fou, semant les gendarmes rue des Moines, ou dans le bas de l'avenue de Saint-Ouen. Mais là c'est autre chose. «Au revoir les copains.» La petite mallette que Juliette lui avait apportée au mois de juin reste sur l'étagère. Et la photo de Prosper. Et son

179

papier bleu qu'il avait déposé sur la planche pour soigner un peu son coin. Je te vois, Guy. C'est si facile d'en parler. Je t'entends. Ta voix pointue, une fin de mue, avec la gouaille en plus et tes histoires à deux sous, on dirait un vieux phonographe qui tourne à vide. Je suis retourné dans la carrière. J'ai voulu voir derrière la vitre du monument, la terre recueillie au pays d'origine de chacun des fusillés. «Au revoir les copains.» La 6; le fusil-mitrailleur braqué sur la baraque. Les gendarmes, tout autour, un homme tous les six mètres, et qui pleurent, dévastés dans leur garde-à-vous inutile et triste. Les soldats allemands, l'arme au pied. «Certes, j'aurais voulu vivre. Mais ce que je désire de tout mon cœur, c'est que ma mort serve à quelque chose [...].» La mémoire. «Je vais mourir! Ce que je vous demande, à toi en particulier, petite maman, c'est d'être très courageuse. Je le suis et je veux l'être autant que ceux qui sont passés devant moi [...].» «Au revoir les copains.» La baraque 6, de l'autre côté du camp. Les camions qui arrivent. Trois camions. On ne peut plus voir. Odette, Marie, Andrée font des pointes, mais tout est bouché. «Je vous demande, messieurs, de vous préparer au pire, et de faire preuve de dignité.» Le papier pour écrire, un banc pour Guy, la cloison pour d'autres. Dignité. Mourir. Le curé de Château-briant s'est récusé. L'abbé Moyon, de Béré, est venu. Il déjeunait quand le lieutenant est venu le chercher. «Ces hommes sont admirables... admirables...» Et cette femme, fervente catholique de Châteaubriant, après le passage des camions : «Si la mort de ces hommes n'est pas vengée, c'est qu'il n'y a plus de bon Dieu!» Mercredi. Jour de marché à Châteaubriant. Un ciel très bleu. Froid aussi, les doigts sont engourdis pour la dernière lettre. Au loin, Serge, Bréhal, les plages de Granville. «Je laisserai mon souvenir à l'histoire car je suis le plus jeune des condamnés.» La fièvre des départs. L'anxiété d'en mourir. Et ce prêtre qui pousse la porte de la baraque. L'étonnement des prisonniers. C'est donc la fin. «Mes amis, je ne viens point ici faire violence à vos consciences et vos mentalités. Je suis prêtre, c'est certain. Si quelques-uns d'entre vous veulent utiliser mon ministère, je suis entièrement à leur disposition, mais je tiens par-dessus tout à vous dire que je viens partager vos dernières heures. Vous aider à faire le grand sacrifice qu'on exige de vous, vous encourager à mourir comme des Français doivent mourir. Montrez à ceux qui vont vous exécuter tout le courage dont vous êtes capables. Quant à moi, je veux vous dire que je suis votre ami, et beaucoup plus que cela, votre frère dans l'amour de la patrie...» On lui remet quelques objets personnels. Il y a des «merci». L'un des otages lui demande de prier tout à l'heure. Timbaud ne lâche plus le bras de Guy. Il faut aller jusqu'au bout Guy, jusqu'au

181

bout. Tintin, comme un père avec moi. Avant de sortir de la baraque, le curé observe les yeux de Guy qui ont la fièvre, quelque chose d'anxieux. «Guy Môquet semblait impressionné par la proximité de la mort, son attitude avait quelque chose de fier. Il ne pleurait pas. Parlait peu. Il me dit : "Je laisserai mon souvenir dans l'histoire car je suis le plus jeune des condamnés..."».

«Au revoir les copains.» Les camions sont rangés devant la baraque. «Je vais mourir...» À l'extérieur du camp, route de Fercé, tout près des barbelés, il y a un camion, dont la bâche est grande ouverte. Des soldats allemands jouent aux cartes et plaisantent. Il faut partir maintenant. Un ciel si bleu. Un ciel à taper dans le ballon, route de Soudan. Châteaubriant, Treffieux, Nozay. Le pays de la Mée. Le pays du milieu. On disait la Loire-Inférieure. Le bocage. La campagne noire en hiver avec ses chemins et toutes ces ronces. Le bon sarment de vigne à faire flamber dans la cheminée. Les ajoncs et les genêts. Les fleurs sont jaunes. C'est l'odeur qui change d'une fleur à l'autre. Un pays de landes. Chaque été à Treffieux, c'est à dix-sept kilomètres de Châteaubriant. Mon vélo sur la route des Bordeaux. Et le raisin de septembre, en arc au-dessus de ma tête dans le jardin. Treffieux, Pouancé, Renazé, Soudan, Nozay, Châteaubriant. Sur la route de Paris. La tristesse d'Esther, cours des Cinquante-Otages, à Nantes. Léontine au bout du jardin.

Vous passez à la carrière? Il faut partir. Ils sont restés une petite heure dans la baraque. Guy a pris la peine de demander un peu d'encre bleue, ou un stylo pour corriger sa lettre qu'il vient d'écrire à Juliette, Prosper et Serge. Tous, les vingt-sept, ont écrit sur les parois de la cloison. C'est mercredi. Jour de marché à Châteaubriant. Les trois camions éviteront le centre-ville. À Louisfert, Cadou le poète instituteur prend son vélo, un baiser à Hélène, on oublie un peu l'école, je vais à Châteaubriant, c'est jour de marché. Il faut partir. Les moteurs tournent. «Adieu les copains.» On s'était promis de les venger un jour, me dit Pierre. De ne jamais oublier, même quand il y aurait du bonheur à la maison.

Les filles ne voient plus rien. Il n'y a plus rien à voir. On s'efforce d'entendre, de deviner. Tout de même, par l'interstice des planches : Timbaud, avec une cigarette, il demande du feu à un gendarme avant de monter dans le camion. Tintin n'a pas lâché le bras de Guy. Ils sortent de la baraque. Fouillés, une dernière fois, par les gendarmes, les mains attachées. Et de nouveau *La Marseillaise*, au moment de monter dans les camions. Charles Michels est le premier à passer devant Touya. Et à l'officier allemand : «Vous verrez comment meurt un député français!»

Timbaud est le deuxième. «Mon père, c'était un casse-cou, me dit Jacqueline. Un titi, peur de rien. On avait construit un avion avec les métallos dans le hangar du château Baillet, il faisait des loopings avec, dans le ciel, et Pauline qui se demandait quel pouvait être cet imprudent au-dessus de nos têtes.» Timbaud, il promet à Touya que sa cotte est plus propre que son uniforme. Il lui crache au visage. Et encore *La Marseillaise*. Un moment, c'est la «jeune garde», on entend Guy. Il est le dernier de son groupe à se hisser dans le camion. «Adieu les copains.» Pourchasse, sur la ridelle, il lève ses deux poignets attachés en direction des copains, leur fait signe. Un dernier salut, comme pour un long voyage. Ils se sont juré, ensemble, de regarder le monde, la vie, jusqu'au bout. Ils refuseront qu'on leur bande les yeux. Maintenant, tous les autres, les quatre cents, restés dans les baraques ne peuvent plus y tenir, et les gendarmes sont repoussés, incapables de faire face. Quatre cents détenus le long des barbelés à chanter *La Marseillaise*. Et cette petite voix, sur la route de Fercé, qui s'échappe du camion : «Maman!» Le ciel est si bleu. La douceur aussi. Ils ne traversent pas la ville. N'appartiennent plus à personne. À la France seulement. De Gaulle va demander le silence, garde-à-vous, dans une semaine. Au pied de chaque atelier dans les usines. Roulent vers la sablière, une ancienne carrière de sable rouge, à deux kilomètres du camp. Ils chantent encore. Et encore *La Marseillaise*, *Le Chant du départ*. On chuchote: «Mon Dieu», parfois sur leur passage. Quinze heures quinze. Les trois gros camions contournent la mairie. J'ai retrouvé le petit mouchoir que tenait Guy avant de faire face au peloton d'exécution. Dix hommes pour chaque fusillé. Neuf poteaux plantés en terre. En face, un beau peuplier. L'officier commande le tir. Il donnera le coup de grâce. Une balle dans la tête. Dans le dos de Guy, une rangée de ronces. J'ai souvent marché dans la carrière. Des champs tout autour. *La Marseillaise*, ils n'ont jamais cesser de la chanter. Les camions ont descendu la route, sous le pont de Checheux. Ils ont contourné la ville. Juste avant de partir, Guy avait demandé un crayon, une dernière fois, pour écrire. Il ne voulait pas oublier. Elle le lui avait promis le soir à la palissade. Odette. C'est un billet doux, juste avant de partir. Très vite, le gendarme le donnera à la jeune fille. Elle fera sa vie. Odette Nilès. Soixante ans ont passé. En partant, Guy a pensé très fort à cet amour qui n'avait pas eu le temps d'exister. Un mot. Écrit dans l'urgence et la fièvre. «Ma petite Odette [...]. Je vais mourir [...]. Avec mes vingt-six camarades, nous sommes courageux. Ce que je regrette, c'est de n'avoir pas eu ce que tu m'as promis. Mille grosses caresses de ton camarade qui t'aime. Grosses bises à Marie et à toutes...»

Soixante ans ont passé. Odette avait gardé le mot. Sur la cloison, Guy nous regarde et grave avec une pointe «Vous qui restez, soyez dignes de nous, les vingt-sept qui vont mourir!». Les camions sont entrés au pas dans la carrière. Le premier tout en haut, près de la route. Le deuxième dans le chemin, à mi-pente. Le dernier tout en bas. Le soleil, un peuplier, neuf poteaux, toutes ces ronces derrière. Les yeux dans les yeux. On retrouvera les lunettes de Guéguen, dans un massif, un peu plus loin. Une centaine de soldats venus en renfort d'Angers. Dix soldats pour chaque fusillé. Trois longues salves qu'on entend à Châteaubriant, dans les champs alentour. Les enfants qui jouaient au foot, à la sortie de Châteaubriant, apprendront la nouvelle, le soir, en retrouvant le pensionnat du cours complémentaire. Trois vagues. Quinze heures cinquante-cinq, seize heures, seize heures dix. Guy est l'avant-dernier à mourir. Évanoui. J'ai marché dans la carrière. Je suis retourné à Bréhal. Le sang, partout, qui s'échappe des camions au moment du départ. L'officier allemand est maintenant allongé, au soleil, le haut du dos appuyé contre le peuplier. En face de lui, des soldats jettent le plus possible de terre pour recouvrir le sang noir qui sèche au soleil. Ils ont crié «Vive la France!», «Vive 89!», jusqu'au bout. On m'a donné le petit mouchoir de coton frais retrouvé auprès de Guy. Ses initiales «GM» incrustées dans le tissu. Enroulé. Plein de larmes. L'enfant l'a serré très fort. Déjà, les détenus restés

186

au camp ont découpé les planches, recopié les dernières phrases. Il faudra les conserver. Pierre, le dentiste, Esther, un baluchon de linge sale. «Vous qui restez, soyez dignes de nous les vingt-sept qui vont mourir.» Des cercueils en chêne commandés par la mairie de Châteaubriant. Toute la nuit, les corps entassés dans les sous-sols du château. Les uns sur les autres.

À l'aube, posé dans l'herbe gelée, il y avait un petit bouquet de fleurs sauvages.

Châteaubriant, le 26 avril 1999.

REMERCIEMENTS

Ce récit, c'est aussi la fidélité d'Alain et Anne-Marie Saffray; la mémoire de Georges Abbachi, Jean Fumoleau, Andrée, Paulette, Eugène Kerbaul, «Mickey», Henri Duguy, Maurice Chalon, Pierre Cohen, Maurice Simondin, André Balland, André Grillot, Jacqueline Timbaud, Odette et André Niles; le grenier du lycée Carnot, l'Union pour le patrimoine de l'UPALYCA et son président Jean-Pierre Chavatte; les idées à l'endroit de Germaine Willard et Guy; le musée de la Résistance nationale à Champigny; l'écoute de Guillaume Durand, Laurent Guimier, Dominique Souchier, et Sabrina, rue François 1er; la lecture de Carole Bitoun; la patience de Bénédicte et Anne-Claire; la confiance de Jean-Marc; et à Nantes, la tribu des Garçon, Jean et Yves.

Cet ouvrage a été composé en Garamond corps 12
par In Folio, Paris

Achevé d'imprimer en mai 2000
sur presse Cameron
dans les ateliers de
Bussière Camedan Imprimeries
à Saint-Amand-Montrond (Cher)
pour le compte des Éditions Stock
27, rue Cassette, 75006 Paris

Imprimé en France

Dépôt légal : juin 2000.
N° d'Édition : 3872. N° d'Impression : 002511/4.
54-5271-9

ISBN 2-234-05271-8